유럽 생각여행

유럽 생각여행

발 행 | 2024년 7월 26일
저 자 | 김신일
펴낸이 | 한건희
펴낸곳 | 주식회사 부크크
출판사등록 | 2014.07.15.(제2014-16호)
주 소 | 서울특별시 금천구 가산디지털1로 119 SK트윈타워 A동 305호
전 화 | 1670-8316
이메일 | info@bookk.co.kr

ISBN | 979-11-410-9648-9

www.bookk.co.kr

유럽 생각여행

人間, 발칙한 상상

김신일 지음

CONTENTS

제3장 로마 67

제4장 프랑스 89

머리말

인생 여행을 시작하는 모든 청소년과 어른에게 이 책을 바칩니다.

인간은 여행을 좋아하는 동물이다. 단지 그동안 삶에 지쳐 살면서 자신의 욕망과 자유를 억누르고 살았을 뿐이다. 이제 자유로움을 찾자. 여행을 떠나자. 일상의 수고로움을 뒤로한 채 자신의 여행을. 정말 유럽으로 떠나라. 다만 일상의 반란은 장소의 이동에 있지 않다. 사고의 전환이며, 생각의 변신이다. 완벽한 변신을 꿈꾸는가. 그럼 유럽이다. 여행이란 시선의 변화다. 어디에 어떤 것에 시선을 던지느냐에 삶의 생각 방향이 요동친다.

아, 신나지 않는가. 여권을 챙기고 가볍게 떠나자. 너무 가벼우면 고생할 수도 있지만. 여행은 때때로 의외의 장소에서 생각이 깊어지며 자신의 감정이 움직인다. 그러면서 생각이 커진다. 생각이 확장된다. 여행에서 그냥 걸어본다. 자연스럽게 생각이 따라온다. 소소한 일상에서 벗어나려면 좀 멀리 떠나는 것이 현명한 자세다. 경유로 유럽을 간다면 더 좋다. 경유면 생각도 길다.

그래서 저자는 유럽을 선택했다. 이탈리아, 프랑스, 스위스를 비롯한 유럽의 다양한 장소에서 만들어진 50꼭지의 생각 에세이다. 그냥 지나칠 수도 있는 사소한 것들도 있다. 청소년들과 청년들이 여행하면서 생각하길 바란다. 그냥 사진에만 집중하는 것도 좋지만, 건축물과 주변의 소소한 것들에 시선을 던져보자. 인간이기에, 발칙한 상상을 해보자. 10대와 20대의 특권 아니겠나. 그러면서 부모세대와 소통하며 여행해 보자. 세대의 연결이 쉽지는 않지만.

한 사람을 자세히 보면 그저 아름답다. 그 사람의 말과 글을 보면 그렇다. 여행의 백미는 말과 글이다. 현지에서 말을 해보라. 현지말을 몰라도 그럭저럭 말을 해볼 수도 있다. 여행 전에 배우려는 자세도 좋다. 여행이란 어떤 나라의 언어를 배우는 자세를 키워준다. 여행 중 또는 후에 여행에 대해 기록을 남겨보자. 글이 살아나 여행의 의미를 시간이 흘러도 되새겨보게 된다.

<유럽 생각여행>은 시선의 이동이며, 생각의 변화라고 말했다. 저자는 생각이 참으로 중요하다고 생각한다. 그래서 김신일변화글연구소를 만들었다. 동네에서 말과 글에 진심인 사람들과 소통하려고 한다. 길게 이야기를 나누면 스타벅스도 좋고, 백다방도 좋다. 정해진 스케줄에 따라 수업을 진행하는 것은 동네 지역아동센터에서 진행하려고 한다. 지역아동센터는 아동돌봄시설이다. 지역연계가 가치가 있다. 동네 인력자원을 지역아동센터와 연계하는 과정에서 변화글연구소는 빛을 발할 수 있다. 저자는 인천 푸른꿈지역아동센터에서 사회복지사로 일한다. 어느 날 대학에서 사회복지학을 공부하는 한 학생이 사회복지사로 일하는 직장인을 인터뷰해야 한다며 전화가 왔다. 바쁘지만, 인터뷰를 승낙했다. 며칠 후 그 학생이 찾아왔

다. 지자가 주문했던 한가지가 생각난다.

'자신의 주관적인 생각을 클라이언트에게 객관적인 생각의 상태로 설명하고 이해시켜야 할 시간이 찾아온다. 과감하게 생각하라.'

우리는 일상에서 말과 글을 많이 사용하면서 살아간다. 말과 글은 찰떡궁합이다. 그런데 이런 말과 글이 여행이라는 축제를 만나 더욱 깊어지고 마음에 달라붙는 과정을 거치게 된다.

아무튼 말과 글로 무장된 여행의 길에서 생각에 생각을 거듭하는 시간을 견뎌내며, 독자들의 발칙한 생각들도 터져 나오길 바란다. 생각하면 더 생각하게 되며, 그 생각은 전의 생각과 전혀 다른 것이리라. <유럽 생각여행>을 읽고, 생각의 전환기를 맞이하길 충심으로 기도한다. 청소년, 청년과 부모세대여.

고등학교에서 간호 관련 과목을 전공하고 간호조무사의 길을 걷고 있는 한 직장인이 있다. 저자는 애뜻한 마음으로 바라보고 있다. 왜냐하면 푸른꿈지역아동센터를 졸업한 청년이기 때문이다. 청소년의 과정을 거쳐 아이들이 청년의 나이에 이른다. 그런데 누구나 반듯한 청년이 되기 힘든 시절에 살고 있다. 현재 이 청년은 한의원에서 간호조무사로 일하고 있다. 출근길에 동네에서 종종 얼굴을 보게 된다. 살짝 이야기를 나누며 응원의 메시지를 던진다.

중3이 되어 푸른꿈지역아동센터를 졸업한 아이들이 졸업한 후에도 센터를 찾아온다. 고등학생들이다. 기쁘고, 한편으로는 마음이 무겁기도 하다. 그만큼 갈 곳이 없다는 뜻이기도 하고, '무언가 편하게 기댈 곳이 없구나' 하는 혼자의 생각도 있다.

이사간 청년이면 멀리 지방에서도 찾아온다. 정말 반갑다. 커피를 사주며, 이런 저런 이야기를 나눈다. 세상의 취업 현장이 그리 녹녹하지 않다는 이야기를 나눈다. 지역아동센터를 다닐 때는 그저 재밌었지만 말이다.

그래서 저자는 지역아동센터에서 초등학생들과 중학생들을 데리고 여러 장소에서 캠프(방학 기간)를 진행하려고 노력한다. 특히 익숙하지 않은 도시의 한가운데서 아이들과 시간을 보내길 원했다. 전주한옥마을의 전주. 일제강점기 건물들이 여전한 군산. 출판의 도시 파주 등이다. 2024년 여름에는 개항의 근대건축물, 인천 중구다.

사람들이 사는 도시의 한복판에서 아이들과 실제적인 캠프를 진행한다. 아이들이 자라나서 청년이 되어, 도시를 기반으로 일을 하기 때문이다. 그런데 청년이 된 아이들이 도시에서 일할 수 있는 기회를 충분히 제공받지 못하기도 한다. 슬픈 일이지만, 청년들이 경쟁력이 없다는 증거일 수도 있다. 노력의 시간은 흘러야 한다. 베드로성당의 건축 과정에서 미켈란젤로는 총책임자로서 17년의 세월을 바쳤다.

무엇보다 아이와 청소년 시절부터 '어떻게 살아가야 할지', '삶에서 무엇을 준비해야 할지'에 대해 진지하게 고민하고 생각해야 한다는 것이다. 즉 시야의 폭을 넓혀야 한다. 대한민국도 좁은데, 지금 사는 동네에서 살다 죽는 거라면 슬픈 일이지 않겠는가. 거창한 삶을 얘기하는 것이 아닌 보통의 삶이어도 좋다. 평범한 삶.

무엇보다 지금 해야 할 것이 있다. 생각이다. 무조건 생각이다. 인간이 인간이기에 할 수 있는 제 일 원칙이 생각이다. 그래서 <유럽 생각여행>을 제안한다. 당신의 생각에 '혁신'을 더하고 싶다.

유튜브에 다양하고 발랄한 영상들이 많다. 그런데 정약용의 영상을 보자. 수원화성. 유배의 18년 세월. 자녀를 키우면서 유배지에서 자녀에게 보냈던 글귀들. 영상을 시청하면서 정약용을 만나고 싶다는 강한 동기부여를 잡는다. 그럴 때 어떻게 할까.

떠나면 된다. 남양주 정약용의 생가로 찾아가는 것이다. 그런데 시간의 한계가 있다. 곧 집으로 돌아와야 하고, 짧은 여행에서 생각에 빠졌던 생각의 덩어리들이 이내 사라질 수 있다. 그래서 멀리 떠나라는 것이다. 한동안 돌아올 수 없게 말이다. 적어도 열흘 이상.

유럽으로 여행. 쉽지 않다. 그러나 일생에서 한번은 떠나야 한다. 무조건이다. 경유라면 더 좋다. 경유란 비행기를 갈아타는 것을 말한다. 힘들다. 비행기 안에서 계속 앉아 있어야 하는데 경유는 직행보다 시간이 더 걸린다. 그런데 생각의 시간이 엄청 많아진다. 그것이 좋다. 생각은 시간을 먹어야 한다. 저자는 우럽 여행에서 출발 전부터 심한 감기몸살의 상태였다. 좋아졌다가, 더 심해지고, 다시 서서히 나아지는 건강 사이클을 경험했다. 상당히 힘들었지만, 몸이 가벼워지면서 생각이 더 깊어지는 시간을 가졌다. 그래서 확실한 유럽 생각여행이 되었다.

생각을 어떻게 하느냐에 따라서 우리네 인생은 정말 달라진다. 유럽의 다양한 지역에서 걸으며 생각했다. 이탈리아, 프랑스, 스위스. 걸으면서 생각했던 이유는 자연스럽게 앞으로의 미래를 생각하기 위해서였다. 저자는 작가며, 사회복지사다. 아이들의 현재와 미래를 바라보고 있다. 동시에 저자의 현재와 미래도 응시한다. 그러면서 아이들과 저자는 만난다. 삶이 만나고, 현실에서 만나며, 일터에서 만난다. 독서 수업에서 만나고, 말을 하면서 만나고, 글을 쓰면서 만난다. 그렇다. 아이들의 미래가 곧 저자와 여러분의 미래다. 아이들의 현재가 곧 저자와 여러분의 현재라는 뜻이다. 서로의 과거가 충돌하며 모두의 현재와 미래가 발전한다.

앞으로 어떻게 살아가야 할지 걱정도 되고, 궁금하기도 했다. 아이들의 미래도 그랬지만, 저자의 삶도 그랬다. 여행에서 이제까지 보지 못한 색다른 풍경을 보게 되었다. 그런 모습에 저자의 머리속 생각이란 녀석도 다른 활동을 시작한 것이리라. 한바탕 생각하고자 유럽으로 생각여행을 떠났다. 단지 7박 10일 정도. 패키지여행이었지만, 최대한 이기적으로 시간을 확보해서 걷고, 생각하려고 노력했다. 가족 3명이 함께 걷고, 생각했다.

생각의 끝은 무엇일까. 생각이란 생각의 막다른 골목에서 무엇을 할까. 실천, 행동이다. 무엇을 만들어야 한다. 만들고 싶은 행동을 하게 된다. 인생에서 생각에 푹 빠진 후, 우리는 무엇을 할 것인가에 집중하게 된다. 즐겁고, 신나게 살고 싶겠지만, 대한민국이 코로나19를 거치면서 여러 가지로 많이 달라졌다. 어떻게 살지 막막하다는 생각을 하는 사람들이 많아졌다. 그래도 대한민국의 아동, 청소년과 청년, 그리고 그들의 부모세대, 30-50대에게 희망을 걸고 싶다. 시작이 여행과 독서다.

50가지 짧은 생각 글이다. 현장에서 찍은 사진을 넣었다. 글에 그림을 넣은 이유는 글로만 설명하는데 한계를 느꼈기 때문이다. 저자의 글에 설득력을 주기 위해 한 장 또는 두 장의 사진을 글과 섞이게 배치했다. 그동안 여행하면서 사진을 많이 찍었다. 과거 서울 정동문화축제 사진 공모전에 저자의 사진이 동상을 차지한 적도 있다. 사진 찍는 것을 좋아하고 즐긴다.

쇼펜하우어는 이렇게 말했다.

'문제는 아무도 보지 못한 것을 보는 것이 아니라, 모두가 보는 것에 대해 아무도 생각하지 못한 것을 생각하는 것이다.'

지금도 사진을 찍지만, 정말 그렇다. 아무도 보지 못하는 것을 찍는 것이 아니다. 모두가 보고 있는 대상을 찍는 것이다. 단순하게 찍지 않는다. 아무도 생각하지 못한 것을 생각하듯이 아무도 바라보지 못한 어떤 지점에 시선을 던져 사진을 찍는다.

아, 생각은 그런 것이다. 그냥 터져 나오는 것이다. 순간 생각이 진정한 모습을 드러낸다. 신청년의 저자가, 여행의 길에서 20대와도 자연스럽게 말을 걸고 이야기를 나눈다. 운 좋게 스위스 리기산 정산에 올라서 잠시 생각에 젖어 메모를 한다.

생각에 빠져들 때 그냥 멍때리는 순간을 즐기는 것도 좋다. 그러나, 그런 생각이 말과 글이 되어 자신의 입으로 토해내는 순간이 있다. 어떻게든 적어야 한다. 비슷하게라도, 짧게라도. 자다가 생각난 것이 있으면, 일어나서 바로 적어야 한다. 무조건 적자.

한 인생의 역사는 말과 글이다. 그래서 저자는 앞으로 말과 글에 대한 이야기를 많이 하려고 한다. 그래서 김신일변화글연구소를 1인기업으로 만든 것이리라. 웃길 수도 있겠다.

글과 말, 그것은 곧 인생의 변화를 이끄는 동인이 되는 것이다. 생각이 깊어지면 순간이다. 저자의 연구소는 스타벅스다. 동네 스타벅스다. 여행을 다니면서 두바이에서 만난 스타벅스도 저자의 연구소다. 그곳에서 커피를 마시며, 폰에, 공책에 글을 쓰고, 생각에 잠긴다. 무엇을 생각하는가. 여러 가지 잡동사니. 언제나 스타벅스도 아니다. 백다방에서 글을 쓰기도 한다. 가격이 저렴해서 다양한 것들을 시켜 천천히 먹으며, 키보드를 두드린다. 열심히 두드드드. 옆에서 학생들이 열심히 말하며 공부하고 있다.

미쳤다, 정말. 그렇다. 미쳐야 말과 글이 새롭게 보인다. 그때 보이고 생각나는 것을 그대로 적어라. 두드려라. 새로운 생각을. 새로운 미래의 세상이 열리는 거다. 전혀 새로운 것은 없다. 일상에서 새로움을 보는 거다.

<유럽 생각여행>에서 50가지 글이 당신을 기다린다. 사진과 더불어 한편의 글은 매우 짧지만, 그래도 독자에게 무언가 의미심장한 가치를 던져주고 싶었다. 책을 출판하고 팔리지 않는 시간 저자의 고민은 깊었다. 책이란 나의 지식과 지혜를 세상을 향해 던져버린 것이다. 내 손을 떠난 콘텐츠지만, 내 자식 같은 애정이 있다. 유럽을 무대로 쓰여진, 생각의 생각 에세이를 나누려고 했다. 저자의 생각이 자연스럽게 독자의 마음에 스며들기를. 이유는 한 가지다. 독자도 저자처럼 생각하면 얼마나 좋을까.

그 생각이란 놈이 자녀와 부모의 연결고리가 되기를 기대했다. 짧은 글과 사진으로 독자에게 가독성을 높이려고 했다. 여기서 힘을 얻는다면 '유럽 인문여행' 이란 제목으로 후속 에세이를 쓰고 싶다. 세계의 중심에 섰던 유럽의 인문학적 사고가 독자들에게 전달되기

를 희망하기 때문이다. <유럽 생각여행>은 전반전이다. 유럽의 한 가운데서 생각을 뿌렸다. 뿌린 글들의 날개를 달고, 독자들이 멀리, 높이 보기를 간절히 바라는 마음이다.

지금 저자는 백다방에서 글을 쓰고 있다. 생각의 산에 올라가고 있다. 주위에 젊은 학생들이 시끌시끌하다. 그들이 볼 때 키보드를 두드리는 저자의 모습은 이상하리라. 그런데 걱정할 것이 없다. 그들도 나에게 전혀 관심이 없다.

무슨 이야기를 하려는 건가. 세상은 당신에게 관심이 없다. 주위는 당신에게 관심이 전혀 없다. 그런데 당신이 오히려 주위를 의식하고 세상을 신경 쓴다. SNS에 빠진 자신의 생각을 건져올려라. 그리고 진정한 생각을 자신의 말과 글에 심어라. 남들에게 하는 말들을 분석해 보라. 어떤 말들을 주로 말하는가.

당신의 하루 말을 글로 적어보라. 중요한 것들이 있는가. 그런 말이 글로 변화되었을 때 어떤 내용인가. 합리적인가. 적당한 글로 보이는가.

요즘 욕을 심하게 하는 아이들이 많다. 사람은 자신의 말과 글을 보면 그 사람의 인성을 할 수 있다. 요즘 아이들의 말과 글은 무너지고 있다.

지금이라도 <유럽 생각여행>의 50가지 이야기에 빠져보자. 그러면서 당신의 말과 글을 다듬어보라. 인생을 바꿔보자. 다른 클래스로 인생을 살아보자. 먼저 당신의 말과 글을 바꿔보자. 대한민국의 청소년, 청년이여.

최근 경계선에 있는 아이들을 걱정하는 목소리가 높다. 별도로 그런 아이들을 모아놓고 공부 등 프로그램을 진행하는 것을 대안으로 생각하기도 한다. 그런데 지금 아이들의 환경을 먼저 생각해 보면 어떨까 생각한다. 지금의 인터넷 환경과 스마트폰 시장 말이다.

아이들과 어른들이 똑같은 폰을 사용하고 있다. 아이들 폰이라고 해서 특별히 어떤 조치를 취한 경우는 드물다. 지역아동센터나 집에서 아이들과 약속해서 폰 사용을 줄이는 정도다. 아이들과 인터넷 중독 영상 등 이야기를 하면서 가끔 진지하게 지금의 IT 기기 환경을 서로 말할 때도 있다.

그런데 아이들은 자신들이 인터넷 중독이 아니라 말한다. 저자가 보기에는 상당수가 인터넷 중독으로 보인다. 중독에 관한 설문지를 작성할 때 아이들이 자신의 상황을 우호적으로 적게 된다. 그래서 조사 때부터 인터뷰 형태로 어른 전문가가 소수로 조사를 진행하는 것이 맞다고 생각한다.

다시 말해서 경계선 아동들을 걱정하기 전에 아이들이 처한 환경을 개선할 필요가 있다는 말을 하는 것이다 .아울러 아이들 중에는 분명 느린 달팽이 같은 친구들도 존재한다. 그들의 속도를 그대로 이해하면 된다. 그들은 전혀 빠르지 않으며, 속도를 낼 생각도 없다. 그들은 그들의 삶의 속도에 맞춰서 살아가면 되는 것이다.

그래도 달팽이 아이들도, 경계선에 있는 아이들도 생각은 한다. 그래서 생각은 모든 아이들과 청년들의 교집합이 될 수 있다. 그래서 생각을 키워주는 교육과 돌봄은 가치가 있다. 그들에게 직접적인 서비스를 제공하는 것보다 간접적인 방식을 취하면서 그들에게 숨은 생각의 가치를 꺼내는 거다. 여기서 환경이 중요하다. 문화의 환경을 조성해 보면 좋겠다.

백범 김구 선생님은 '오직 한없이 갖고 싶은 한 가지를 문화'라고 말했다. 국립중앙박물관에도 이 글귀가 보였던 기억이 있다. 아이들에게 문화의 바다를 조성해 주면 된다. 문화는 생각을 반드시 낳게 된다.

문화는 시대적인 흐름을 보여준다. 이 시대에서 가장 소중한 것을 보여준다. 그래도 사회가 가져야 할 가치가 있다. 알아야 하는데, 모르는 가치를 교육하는 것도 문화의 환경에서 보여줄 일이다.

문화는 Culture다. 경작하다는 뜻이다. 아이들을 키우는 것이다. 지역에서 함께 키우는 것이다. 교육과 돌봄이 그래서 중요하다. 여기에서 아이들에게 생각의 주도권을 주면 좋겠다. 학교에 오래 있기를 아이들이 원하는가. 지역아동센터에서 어떤 프로그램을 제공받기를 아이들은 원하는가. 아이들의 권리가 반영된 사회를 지향한다. 그러기 위해서는 아이들의 생각이 필요하다.

서서히, 천천히 아이들의 생각을 키우려고 한다. 그들이 청년으로 자란다. 한 번에 힘들다. 자연스럽게, 아주 느리게. 그래서 <유럽 생각여행>을 추천한다. 이 책을 기준하여 생각이란 무엇이며, 지금 문화의 토대 위에서 어떤 생각을 당신이 할지 생각해 보자.

반려견의 세상이 되었다. 그런데 생각해 보면 강아지 공장에서 경매장으로, 다시 펫샵으로 강아지들은 생후 2개월 전후로 옮겨진다고 한다. 그런 예쁜 강아지를 우리들은 집으로 데려온다. 돈으로 산다. 그런데 그 강아지 공장의 환경은 열악하다. 즉 무슨 일이던지 생각의 뿌리를 생각하지 않으면 해결책은 멀어진다. 생각하자. 생각, 생각. 모든 사진은 가족이 유럽에서 찍었다.

김신일, 부평동 연구실에서, goldbug3@naver.com

모든 순간은 내 스스로 세운 목표로 다가설 수 있는
절호의 기회인 셈이다.

제1장 자유의 여신상

살면서 자신의 자유로움을 다시 찾을 수 있다면 얼마나 행복할까. 거기서 인생의 행복이 터져나오기 때문이다.

자유의 여신상, 그런데 프랑스.

1
자유의 여신상

나 아름답게 살아가리
_ 목련화(가곡)

프랑스 콜마르로 들어가는 초입에서 만났다. 프랑스의 자유의 여신상. 프랑스 조각가 바르톨디의 작품이다. 미국의 자유의 여신상을 생각했던 독자라면 의외의 장면일 수 있겠지요, 그런데요, 두 작품은 같은 작가입니다. 바르톨디의 선물이 미국의 자유 여신상인 거죠. 놀랍죠. 뉴욕 '리버티 섬'에 미국의 독립 100주년을 기념하여 프랑스가 1886년에 선물한 '자유의 여신상(Statue of Liberty)'이 있다는 사실이요. 그리고 같은 상이 프랑스에도 있구요.

아무튼, 콜마르 처음 길목에 있어 힘들게 사진을 찍었습니다. 그런데 의외의 장소에서 순간적으로 마주친 옛날 친구처럼 느껴집니다. 뭔가 말로 표현할 수 없는, 울컥하는 감정의 덩어리가 있었어요. 그것이 무얼까 생각해 봤습니다.

"그동안 너는 자유롭게 살았니?", "이제는 어떻게 인생을 살아가고 싶은거니?" 이런 질문들이 머리에서 움직이고 있었습니다. 순간 사회복지사로서 사회복지가 세상에서 어떤 무기가 될 수 있을까를 고민했습니다. 그러면서 저자는 말과 글에 대해 생각을 깊게 하게 되었지요. 결국 1인기업 김신일변화글연구소를 시작하게 되었습니다. 자유의 여신이 저에게 가치를 생각하게 했습니다. 콜마르에서 만난 행운이었죠.

알자스, 재미난 동물상.

2
알자스 동물상

생각이 깊어진다는 것은 막다른 골목길에 서 있는 느낌이랄까.
- 김신일

알자스(프랑스) 지방을 여행하다, 공식 기념품샵에서 독특한 동물상을 보게 되었다. 기존에 봤던 동물들과는 차원이 달랐지요. 여행의 일행들은 물론, 그곳에 방문한 여러 나라의 사람들 조차 관심을 두지 않는 동물이었습니다. 더구나 살아있는 동물이 아니라서 그런 것일까요.

무언가 생각하는 듯 합니다. 무얼을 애타게 갈망하는 표정이 아닐지요. 절규하는 몸짓. 자신의 입을 최대한 벌리고 무엇을 고뇌하는 모습이랄까. 그런데요. 여기서 국립중앙박물관에 있는 반가사유상이 떠오릅니다. 오른손을 얼굴에 대고, 한손은 자신의 발을 잡습니다. 발자스에서 만난 동물은 오른손으로 얼굴의 아래 한켠을 잡고, 다른 손은 아래쪽 지지대를 꽉 잡고 있어요. 생각에 집중하는 스타일입니다. 멍을 때리는 중. 반가사유상과 이상한 동물이 무엇을 생각했는지 알지는 못합니다. 그런데, 생각이란 특정한 공간과 시간에만 할 수 있는 것은 아니지요.

딸 아이가 얼마 전 카페를 오픈했습니다. 그래서 너무 바쁘고 분주했습니다. 아이는 어떤 생각을 하고 있을까요. 아내가 말하길, 딸이 '어디까지 갈 수 있나 해보고 싶다'고 하네요. 생각은 생각을 만들어 내겠죠. 알자스의 이상한 동물의 고뇌에서 딸아이의 열정이 느껴집니다. 아버지의 정이겠죠.

오르세미술관에서 센강과 '풀밭 위의 점심'(마네)을 보다.

3
발칙한 상상

오르세 미술관에서 어떤 시선으로 그림을 감상할 건지.
_ 김신일

루브르박물관에 가고 싶었지만, 예약이 힘들었다. 차선으로 오르세미술관을 찾았다. 오르세미술관이라고 한가한 곳이 아니었다. 사람들은 넘쳐났고, 어디서부터 그림을 감상할지, 그리고 어디까지 볼지 막막했다. 몇 가지 한정된 그림만 찾아보기로 결심했다. '만종'과 '이삭 줍는 여인들'. 밀레의 작품이다. 너무나 유명한 작품이었기에 이것만은 봐야겠다는 사명감까지 발동했다.

그런데 바쁘게 이리저리 움직이다, 명작을 만났다. '풀밭 위의 점심'. 마네의 작품이다. 인생도 마찬가지다. 계획한 대로 진행되는 것이 아니란 얘기다. 오르세미술관에서 하루종일 그림을 감상하는 발칙한 상상을 해본다. 일단 사람들이 너무나 많다. 그래서 감상이 자연스럽지도 못하지만, 이동도 힘들다. 조금 후 포기했다.

청소년들의 특권이 뭘까. 젊음. 틀린 말은 아니다. 그러나, 저자는 발칙한 상상이라 생각한다. 기존의 틀을 부수고 기성세대가 생각하지 못한 발칙함을 보여줄 때다. 또한 미래에 대해 발칙하게 생각할 때다. 우리는 그들을 젊은 청소년들이라 칭한다. 멋지기 때문이다. 오르세미술관에서 만난 위대한 작품들을 점심 삼아 최대한 미술관에 머물고 싶었다. 예술에 배고픈 돼지가 되어, 킁킁거리며 작품의 감상 선을 따라 움직이고 싶었다. 그러나 사진을 찍으면 의도와 달리 지나가는 다른 사람들의 얼굴이 사진에 그대로 나왔다.

콜마르에서 마주친, 지상의 전차 풍경.

4
지상의 전차

콜마르의 전차가 주변의 풍경과 어울려 아름답다.
_ 김신일

과거 서울의 한복판에도 전차가 있었다. 지금은 사라지고 없지만. 프랑스의 콜마르 도시가 있다. '하울의 움직이는 성'의 배경이 되었던 아름다운, 그림 같은 도시다. 정말 현장에서 길을 걸으며 주변의 풍경을 바라보면 절로 미를 느낀다. 오래된 건축물이 지금도 실제로 사람들이 사는 곳이라 더욱 가치가 높게 보였다.

이곳에서 마주친 전차가 아름답다. 우리나라는 지하철을 선호한다. 지상의 전차 또는 트램(지상전차)을 이야기하면 지역의 사람들은 보통 격하게 반대한다. 지하로 들어가야 한다고. 언제부터 우리나라는 지하철 천국이다. 과거의 서울 전차가 존재했다면 얼마나 아름다울까. 전통과 현대가 조화를 누리려면 그것을 조율하는 사람들의 생각도 유연해야 할까.

프랑스의 콜마르 전차와 주변 풍경은 너무나 어울린다. 하지만 전차가 생존했어도, 지금의 서울 풍경에서는 고풍스런 풍경을 기대하기가 어렵지 않을까 싶다. 오히려 전차보다 2층 관광 대형버스가 그나마 어울릴 듯하다. 과거와 현재의 공존은 참으로 의미가 깊지만, 도시의 여러 가지 건축물과 어울려야 멋을 부릴 것이다.

'동대문 안에서 기계로 전기를 부리면 전기가 작대기 미는 힘으로 수레가 절로 움직이더라.'_ 1899년 5월 5일자, 제국신문.

다비드상(다윗상), 시뇨리아 광장, 피렌체(Firenze).

5
다비드상

왜 미켈란젤로는 다윗을 선택했을까.
_ 김신일

피렌체에 가면 다윗상을 보게 된다. 보고 싶지 않아도 보게 된다. 성경을 아는 자는 다윗이 얼마나 대단한 인물인지 안다. 목동이였던 다윗이 왕이 되어, 이스라엘의 최고 전성기를 이끌어낸다. 성경 시편의 주인공이 다윗 아닌가. 아들은 지혜의 왕, 솔로몬.

더구나 미켈란젤로가 조각한 다윗이다. 다윗의 눈매와 손에 든 물맷돌. 가까이서 보게 되면 근육이 보일 정도로 정교하다. 한 가지 아쉬운 점은 복제품이란 사실. 피렌체(Firenze) 시뇨리아 광장에서 보이는 건실한 청년의 모습은 사실 미켈란젤로의 작품은 아니다. 피렌체의 전체 풍경이 보이는 미켈란젤로 광장에 있는 다윗상도 마찬가지다.

정품 다윗상은 아카데미아 미술관에 있다고 한다. 이탈리아에서는 복제품도 예술성을 인정받고 있다.

그런데 생각해 봤다. 왜 다윗인지. 다윗은 자신의 부하, 우리아의 아내를 탐한 자다. 다윗은 골리앗을 쓰러뜨린 영웅이다. 귀족이 아닌 평민들은 이런 스토리에 열광한다. 당시 피렌체의 메디치 가문은 어떤 의도를 가지고 미켈란젤로에게 다비드상을 주문했던 것이리라. 그것을 드러내자는 뜻이 아니다. 왜 다윗상이 되어야 했는지 한번 생각해 보자. 질문하면 생각도 따라 커지게 마련이지.

오르세 미술관(위)과 파리공항(CDG)에서 만난 직사각형 책.

6
권독

정약용처럼 18년 유배를 떠나, 읽기와 쓰기에 빠져봤으면.
_ 김신일

직사각형 책읽기를 권한 적이 있는가. 기독교인이 정말로 누구를 사랑한다면, 전도할 겁니다. 그런데 정말 누구를 사랑하고 그 사람이 잘 되기를 원한다면, 권독을 하세요. 최선과 차선입니다.

오르세 미술관에서 나올 때, 작은 도서들이 모여 있는 공간을 보았습니다. 살짝 설레였습니다. 미술관에서 잠시 그림에 넋 놓고 사진을 찍고, 감상에 젖었던 순간을 뒤로 한 채, 책에 눈독을 들이는 저자의 모습을 보고 있었습니다. 저자는 미술관보다 서점에 가보고 싶었지요. 패키지의 한계였지만요. 센강의 노상 중고 책방도 좋죠.

의도하지 않은 것이지만, 정약용은 18년의 세월 동안 포항, 전라도 강진으로 유배를 떠났지요. 그렇게 오랜 시간 그곳에 있을 것이라 생각하지 못했을 겁니다. 또한 그곳에서 많은 책들을 쓸 것이라고 상상이나 했을까요. 아무튼 외국에서 만나는 책은 신선합니다. 책을 읽으면 카페, 에스프레소라도 마시고 싶지 않을까요.

'나 그대를 사랑하노라, 그래서 나 그대에게 권독하노라.'
'그대는 어쩌실런지요. 저는 그대의 눈빛을 바라만 볼뿐이에요.'

저자가 청혼을 다시 한다면 지금의 아내에게 책으로 권독을 하려네요.

6개가 한접시, 에스카르고(Escargot) 프랑스 달팽이 요리.

7
달팽이 요리

아무런 의식 없이 달팽이 요리를 먹었다.
_ 김신일

의식 없이 달팽이 요리를 먹었다. 특별하지 않았다. 약간은 어색하고 어떻게 할지, 생각했지만, 천천히 먹었을뿐이다. 프랑스어로 에스카르고(Escargot)란 달팽이를 뜻한다. 그래서 에스카르고란 달팽이 요리로 이해해도 된다. '의식 없이'는 저자의 작전.

낯선 장소에서 낯선 음식을 먹는 것은 사실 쉬운 일은 아니다. 외국 여행의 순간 순간 라면 등 한국 음식을 먹으며 힘을 내는 사람들도 많다. 그런데 무엇이든 처음이 힘들다. 아무런 의식 없이 자연스럽게 먹거나, 입거나, 경험하게 되면 그냥 자연스럽게 지나가곤 한다.

특별했던 달팽이 요리 말고, 저자에게 좋았던 기억은 이탈리아의 피자, 파스타도 아닌, 비첸차의 한 호텔 조식에서 먹었던 파아란 작은 사과였다. 맛있어서 하나 더 먹으려고 물었는데, 오늘은 다 소진되어 끝이라고 직원이 웃으며 말했다. 아쉬웠다.

아마도 접시에 달팽이들이 더 많이 놓여졌다면, 상황이 달라졌을지도 모르겠다. 적당하게, 알맞게 배치된 달팽이들에게 고맙고 감사하다. 잠시 달팽이의 입장에서 생각해 보았다. 자신의 모든 것이 바쳐진 최후의 만찬에 억울하겠지. 그런데 인생이 그런 것이리라. 누군가에게 행복을 주었으니, 달팽이의 삶도 가치있지 않을까.

시장의 한가운데 가지런한 과일과 야채.(콜마르)

8
시장을 걷다

시장에서 현지인처럼 사고 먹고 해보기를.
_ 김신일

프랑스 콜마르 시장을 걸었다. 한가운데로 걸었다. 활기차게 보였다. 사람들로 붐비지는 않았다. 포장되지 않은 과일이 오히려 더 친근했다. 날 것의 유럽 문화를 느끼길 원하는가. 그럼 시장을 걸어라.

시장 바로 옆에 우리나라의 마트 같은 곳이 있다. 우리처럼 크진 않지만, 필수적인 것들이 있다. 화장실을 사용할 때 유용했다. 유럽은 화장실이 대부분 유료다. 이탈리아, 스위스, 프랑스 모두가 그렇다. 급하면 카페에서 에스프레소를 시키면 된다. 맥도널드에서도 화장실은 번호키 유료다. 이런 유럽의 삭막한 문화에서 시장은 한 줄기 여유의 공간이다.

시장의 공간은 그리 크지 않다. 인천의 가정동, 가정중앙시장은 일직선으로 상점들이 쭉 들어서 있다. 직선으로 그냥 걸으면서 먹고 싶은 것, 사고 싶은 것을 사면 된다. 그런데 콜마르의 동네 시장은 오밀하고 조밀하다. 퍼진 수제비 반죽처럼 길을 중심으로 퍼져있다. 크지도 않다.

우리네 반찬과 튀김가게처럼 꾸며진 곳을 찾았다. 패키지 여행의 사람들은 아무도 이곳에 오지 않았다. 시장의 날것을 경험하며, 권하지 않은 시장 음식을 사 먹었다. 저렴했다. 몇천원 정도.

포로 로마노에서 마주친 그나마 멀쩡한 신전.

9
뒤늦게 시동 걸린 인간

판테온에 오느라, 한 사람의 인생이 걸렸다.
_ 김신일

인생 후반전에 뒤늦게 시동 걸리는 인간들이 존재한다. 저자도 그렇다. 뒤늦게 시동이 강하게 걸렸다. 뒤늦게 시동 걸린 인간. 인간은 사회적 동물이기도 하지만, 인간은 움직이는 동물이다. 가만히 있으면 인간이 아니다. 인간은 무언가를 찾아 헤매는 정글의 호랑이처럼, 들판의 사자처럼, 움직여야 인간이라 칭할 수 있다.

대학 시절 대학신문을 만들었다. 영자신문이었다. 1대 편집장이었다. 아직 학교의 지원이 없었던 시절이었다. 그래도 을지로 인쇄골목을 찾아다니며 신문을 만들었다. 행복했고, 피곤한 줄 몰랐다. 영문과를 다녔기에 영자신문을 만들려고 했던 것은 아니었다. 그저 말을 하고 싶었고, 글을 쓰고 싶었다. 영어로 글을 쓴다는 것이 상당히 매력적으로 보였던 것이리라. 우선 말할 공간이 필요했다.

유럽 생각여행을 출발했고, 그러면서 뒤늦게 시동이 다시 걸렸다. 판테온은 이탈리아 로마에 있다. 프랑스에도 팡테옹(판테온)이 있다. 위인들이 안장된 국립묘지다. 건물의 외관 모습도 비슷하다. 이탈리아 로마의 개선문과 비슷한 건축물이 프랑스의 상제리제 거리에서 보이는 개선문인 것처럼. 인생에서도 모방은 의미가 있다.

포로 로마노를 걸을 때 소리가 들렸다. 시동을 끄지 말라고. 내면의 외치는 소리였다. 마음 벽에 속삭이는데 내 마음이 울컥했다.

스위스, 루체른. 도로 위 자전거.(자전거도 차로 이용)

프랑스, 센강의 한가로운 풍경.(오르세 미술관 도보권)

10
유럽 생각여행

어떤 생각이 인생에서 물줄기를 바꾸기도 한다.
_ 김신일

한 번의 생각이 인생의 물줄기를 바꾼다. 그런데 일상에서는 이 생각이란 것이 잘 생겨나지 않는다. 일상에서 벗어난 소로우의 월든처럼 한적하고, 생소한 장소에 떨어져 있다고 생각해 보라. 그 순간부터 새로운 생각 덩어리 속에 당신은 들어가게 된다.

아랍계 항공기를 타고, 경유하여 오랜 시간 비행기 안에서 시간을 보냈다. 완전히 익숙하지 않은 공간이었다. 생각의 동굴에 들어갔다. 유럽에서 생각한다고 해서, 무조건 생각이 저절로 생겨나는 것은 아니었다. 대한민국에서는 겪어보지 못한 것을 보고, 느끼고, 먹고, 부대끼는 시간을 보내보는 거다.

아이스아메리카노를 먹을 수는 있으나, 맛이 허당인 피렌체. 유로화로 계산했다가, 스위스 프랑으로 계산하고, 두바이 공항에서 다시 달라지고, 환율을 머리로 계산하지만, 감이 제대로 오지 않는 상황. '유럽 생각여행'을 떠난 나 자신의 모습은 낯설고 서툴다. 그래도 좋았다. 피부도 좋아지고, 머리가 맑아졌다. 여행 가이드에게 미안했지만, 선택관광도 적게 했다. 걸어다니며 생각했고, 생각에 빠졌다. 거침없는 생각이 살길이었다. 내 인생의 밑천이 될 것이기에. 생각했고, 생각하며, 걷고, 걸었다. 생각이 깊어지면, 체계도 잡히고, 길도 보인다. 안 멈추면 보인다.

생각하면 저자도 정약용처럼 다량의 책을 쓸 수 있을까. 생각했다. 졸작에 대한 두려움에 글을 쓰지 못한다면 천추의 한이 되리라. 글을 쓰는 작가가 되고 싶으면, 일단 글을 쓰는 세상에 들어가야 한다고 생각했다. 그리고 세상에 대해 목소리를 내고자 할 때 글을 완성하여 한 권의 책으로 승부를 보고 싶었다.

제2장 움직이는 존재

생각의 장소가 달라졌다. 여행은 장소의 이동이 아닌, 시선이다. 내가 바라보는 시선의 대상지를 완전히 바꿔버렸다. 로마, 베니스(베네치아), 피렌체, 루체른, 파리, 콜마르, 스트라스부르로, 밀라노, 뮐루즈, 비첸차.

말뚝 사이, 고급진 수상택시. 베네치아 S자노선.(아래)

1
베네치아

베니스에 베네치아처럼, 저자에게 '갓생'이란 브랜드가 생길까.
_ 김신일

베네치아에 도착했다. 차량으로 다리를 건너 베네치아로 입성했다. 이제 다시 배를 타고 더 가까이 베네치아의 심장으로 다가간다. 저자는 물을 싫어한다. 어린 시절 물에 빠져 죽을 뻔한 경험이 있었다. 동네 커다란 웅덩이. 그러기에 베네치아에 왔다는 자체가 놀라운 일이다. 이제 곤돌라와 수상택시를 타야 할 상황이다. 수상택시를 택했다. S자 곡선의 커다란 물길을 따라 달리는 것이 수상택시요, 베네치아의 골목 물길을 따라 움직이는 것이 곤돌라다. 속도가 더 빠르고, 베네치아 전체를 크게 이동하는 수상택시를 택했다. 어디서나 선택과 집중이다.

수상택시 외 베네치아에서 볼거리는 많다. 그래도 몇 가지가 있다. 아주 오래된 커피숍이다. 여기서 카페를 먹었다. 에스프레소다. 맛과 분위기 모두를 잡았던 시간. 그런데 베네치아에서 느끼는 다른 것이 있다. 세익스피어의 '베니스의 상인'이다. 고약한 유태인 상인을 거론하려는 것이 아니다. 세익스피어가 베네치아에 오지 않았다는 사실이다.

현장에 없었는데, 현장을 배경으로 스테이디 소설을 썼다는 것이 놀랍다. 더 놀라운 것은 베네치아의 말뚝이다. 수많은 나무 말뚝 위에 세워진 도시라. 그 노력에 어찌 토를 달 수 있을까.

단테상, 피렌체. 가까운 곳에 단테 생가.

2
피렌체

피렌체에, 미켈란젤로만 있는 것은 아니다.
_ 김신일

피렌체에서 무엇을 볼지 생각한다. 두오모 성당 등 피렌체의 풍경을 눈에 담고자 하면 미켈란젤로 광장에 오면 된다. 두오모 성당은 1296년부터 140년이 걸렸다. 거기에 브루넬레스키, 돔지붕의 완성자를 눈여겨본다. 패키지 여행의 단점이듯, 가죽제품 가게에 들러 이것 저것을 들여다 보았다. 눈치가 있었으면, 밖으로 탈출하여 작은 마차를 탈 수도 있었는데, 함께 온 모녀 가족이 현명했다. 밖으로 나가 다른 풍경을 보려고 조금 걸었는데 모녀가 마차에서 내리는 것이다.

그나마 다행인 것은, 이후 에스프레소를 먹었다는 위안이었다. 맛을 느끼는 것보다 카페의 분위기가 한몫했다. 관광지의 흔한 카페였다. 그럼 피렌체를 보는 다른 매력은 없는건가.

로마에 가면 유명한 곳에는 언제나 광장이 있다. 그리고 그 광장에는 역사가 서린 동상도 있고, 사연 깊은 건축물도 존재한다. 시뇨리아 광장이다. 다비드상을 비롯한 모든 것들이 복제가 많았다. 하지만 예술성이 상당하다. 모두 흰색이지만, 처음에는 칼라의 색도 있었다 한다. 세월이 흘러 흰색으로 보이는 것이라 하는데, 선뜻 이해는 되지 않는다. 광장 구석에 단테 동상이 있다. 가까운 골목으로 찾아가면 생가도 만난다. 피렌체 출신 단테다.

콜로세움 내부. 포로 로마노, 행정 문화 중심지.(아래)

3
로마

여행에서 콜로세움과 포로 로마노 내부를 못 본다면 어찌할지.
_ 김신일

사노라면, 여행을 떠난다. 언젠가 로마라는 도시 한가운데 당신이 걷고 있을지도 모른다. 그런데 로마에 간다면, 콜로세움과 포로 로마노를 꼭 보기를 당부한다. 외부를 보고 멈추면 안된다. 내부를 봐야 한다. 언제 다시 오겠는가. 이런 생각에서 내부를 보라는 뜻은 아니다. 내부와 외부에서 생각과 느낌이 전혀 다르기 때문이다. 형식을 보고, 내용을 봤다고 할 수는 없다.

저자의 <너만의 명품을 만들라>에 이런 구절이 있다.

'한 사람의 인생은 책을 읽으면서 달라진다. 글을 쓰면서 개선하게 되며, 여행을 하면서 자신을 완성한다. 그런데 이것을 기록해서 후대에 남겨야 비로소 자신을 완성한다.'_ p117

그래서 저자는 인간을 움직이는 동물이라고 명하고 싶다. 움직이면 비로소 보이는 것들이 있다. 물론 멈추면 비로소 보이는 것들이 있다. 하지만, 멈추는 것보다 움직이면 좋겠다. 인간은 움직일 때 아름다운 존재다. 로마의 숙소에서 저녁에 살짝 나오는 것도 움직이는 방법이다. 주변을 걷다 보면 이탈리아 도시의 진면목을 그대로 보게 되는 행운도 생긴다. 로마에 간다면 한가지는 하자. 콜로세움과 포로 로마노는 관람하자. 내부를 봐야 한다. 외부와 내부를 모두 보면 로마 여행의 시작이다.

비첸차의 한적한 밤거리. 아주 조용하고, 깨끗했던 기억들.

4
비첸차

잠만 청했던 도시, 어둠에 걷기도 했던 비첸차는 만감이 교차한다.
_ 김신일

비첸차, 알지도 못했던 이탈리아의 도시. 저녁 숙소를 찾아 들어선 곳이 비첸차였다. 그런데 비첸차의 어둠의 거리를 아내와 걷게 되었다. 호텔은 비첸차의 도시 외곽에 있었다. 호텔 밖으로 걸어 나왔지만, 별다른 도시의 풍경은 보기 힘들었다. 더구나 동서남북의 방향조차 생각하지 못한 채 걸었기에 주변은 더 어둡기만 했다. 상점들이 일찍 문을 닫기도 했지만, 워낙 도시 외곽이었기 때문에 어둠이 짙었다.

그래도 방향을 틀어 계속 걸어가야 했다. 딸아이가 초저녁에 호텔을 나가 밖에 있었기 때문이다. 아내와 딸이 통화를 하고 있었다. 딸아이는 겁이 없다. 걸어서 비첸자의 어떤 바에 가 있다고 얘기했다. 아직 10시 전이기는 했지만, 도시는 적막했고, 새벽 같았다. 걱정이 가득했고, 여행에서 이런 상황이 불편하기도 해서 짜증이 머리로 올라오는 것만 같았다. 딸은 그 아비를 닮은 건가.

결국 어렵게 구글 지도를 검색하면서 딸과 만났다. 비첸차의 추억은 어둠을 걸었고, 딸을 극적으로 만난 기쁨뿐. 나중에야 비첸차에 안드레아 팔라디오라는 유명한 건축가의 건축물이 있다는 정보를 알았다. 팔라디오 양식으로, '로톤다'가 매력적이다. 유네스코 세계문화유산으로 지정되었다. 이탈리아 과거 건축물은 화려하지만, 화려하지 않은 독특한 분위기가 느껴진다. 생각에 빠졌다.

파리 샤를드골 국제공항. 럭셔리하네.

5
파리

파리의 에펠탑과 개선문 외에 무엇을 말하고 싶은가.
_ 김신일

파리하면 에페탑, 개선문을 이야기한다. 다른 것들은 뭐가 있을까. 생각해 본다. 파리의 몽마르트 언덕이 있다. 130미터 정도. 가볍다. 그래도 부담이 된다면 케이블카를 타면 된다. 편도 2.15유로다. 정상까지 올라가는 시간은 1분 미만. 기념으로 탈 정도. 왕복은 추천하고 싶지 않다. 편도면 족하다. 몽마르트에는 묘지가 있다. 묘지에는 유명한 예술가들이 잠들었다고 한다.

걸어서 계단으로 올라가면 하얀색의 사크레쾨르 성당을 보게 된다. 각도에 따라 회전목마 같은 시설물이 사진에 같이 찍힌다. 스트라스부르에 가면 구텐베르크 광장을 본다. 여행 일정에 들어가 있지만, 광장에 별다른 것이 없기에 멀리서 그냥 스치고 지나간다. 그런데 멀리 보였던 구텐베르크 동상 옆에도 회전목마 같은 놀이 시설이 있었다. 몽마르뜨도 회전목마가 있다.

몽마르뜨 언덕을 오르기 전에 상가들이 많다. 여기에서 기념품이나 선물을 사면 좋다. 가격도 합리적이다. 케이블카를 타고 올라가면 가격대가 달라진다. 직접 사보니 그렇다. 그래도 열쇠고리라면 스위스에서 사길 추천하고 싶다. 시계에 진심인 나라라서 그런지 열쇠고리도 깔끔하다. 가격은 비싸지만, 소장 가치가 있다. 감당할 가격이다. 럭셔리한 파리 샤를드골 국제공항도 추천.

뒤로 카펠교가 보인다.

6
루체른

루체른에서 유람선을 안 타고, 도시를 걷는 것도 여행이다.
_ 김신일

루체른에 도착하여 보통 유람선을 타게 된다. 패키지의 일정. 스위스의 도시 중 가장 아름다운 도시 루체른의 인구는 겨우 6만 명 정도다. 루체른역을 제외하면 사람들이 북적이지 않는다. 유람선 대신 작은 루체른 도시를 걷기로 했다. 걷는 중에 루체른역 건너편, 우체국 건물을 만났다. 횡단보도만 건너면 된다. 우체국에 관심 있는 사람들은 반가울 것이다. 안으로 들어갔다.

물론 모든 이들이 찾는 곳은 카펠교와 빈사의 사자상이다. 하지만 다른 매력도 있다. 오래된 성곽과 중세의 주택을 볼 수 있는 도시의 골목길을 걸어 보는 것도 좋겠다. 그냥 걷다 신기한 매장이 있다면 들어가 보자. 또한 루체른역에 가보자. 역의 구조가 열려 있다. 가고 오는 길이 서로 막혀있는 것이 아니라, 열린 공간(지하)에서 타고 내린다.

루체른 호수와 카펠교를 배경으로 사진을 찍는다면, 대강 찍어도 멋진 사진을 얻는다. 조금 후 리기산으로 간다. 산악열차를 타고 올라가고, 내려올 때는 케이블카를 탄다. 이때의 풍경은 장관이다. 정상에서 설산들의 듬직한 모습을 사진에 넣는다. 정산 한쪽에 커다란 천하대장군 같은 장군상이 혼자 큼직하게 버티고 서있다. 루체른에 다시 간다면 성곽과 중세주택 골목길을 선택하리라. 그리고 달팽이처럼 느리고 아주 느리게 걸어다니고 싶다.

콜마르일까, 스트라스부르일까?

7
콜마르와 스트라스부르

색다른 콜마르에서 이국적인 생각을 토해낸다.
_ 김신일

콜마르란 도시를 잘 몰랐다. 생각보다 의외의 즐거움을 저자에게 던져준 곳이다. '하울의 움직이는 성'의 배경지기도 하다. 가이드는 여기가 영화에 나왔던 곳이라 하는데, 눈에 담는 것으로 족했다. 사실 방문하기 전에는 몰랐다. 쁘띠베니스라고 한다. 집들 사이로 물가가 있다.

저자는 콜마르와 스트라스부르가 혼동이 되었다. 도시의 분위기가 비슷했다. 콜마르가 쁘띠베니스라면, 스트라스부르는 쁘띠 프랑스라는 별명을 가지고 있다. 알자스 지역의 두 도시였기에 나름 비슷하게 보였는지 모르겠다. 스트라스부르에서 작은 배가 물 위를 다니는 것을 보았다. 수문이 자연스럽게 열리고, 보는 사람들은 신기해했다.

스트라스부르 대성당, 노트르담성당은 그대로 장관이다. 한 장의 사진에 담기에는 너무 거대했기에 힘들었다. 여전히 가볍게 외관을 관람하고 동네를 산책하다, 자연스럽게 카페를 찾았다. 카페에서 가이드를 만났으니, 정해진 코스였던 셈이다. 기념품 가게들이 즐비했다. 이런 저런 물건들을 보는 것이 재밌고 즐거웠다. 길을 걷다 조금씩 비가 내렸다. 유럽의 날씨는 갑자기 어떻게 바뀔지 모른다. 가벼운 비라도 부담이 된다면 우산은 필수겠다. 인생을 느낀다.

아이스커피. 믹스커피 맛에 휘핑.(덴마크)

8
유럽 도시여행

유럽 도시여행의 미(美)는 무엇일까.
_ 김신일

유럽 도시여행의 즐거움은 무엇일지요. 젤라또를 먹는 걸까. 카페를 먹으려고 이리저리 돌아다녀야 할까. 저자처럼 도시의 서점을 찾아볼까. 프랑스 센강 옆에 노상 서점들을 눈여겨볼까. 여러 가지를 생각했다. 노상 서점 주인이 작가인 경우도 있다.

여행하면서 다음 여행의 코스를 생각해 보면 어떨까 제안한다. 뭐 지금 여행하고 있는데 다음에 어떤 코스로 여행을 할지 생각하라고. 너무 성급한 것은 아닐지 생각하겠지. 그래도 한번 생각해 보면 좋겠다. 저자는 다음에는 이탈리아 로마를 집중적으로 걸어보려고 한다. 그리고 미술관, 박물관을 사이에 방문하여 반나절 정도 전시된 작품에 빠져보려 한다. 필라티노 언덕에도 올라 천천히 걸어보고 싶다. 쫓기는 일정이 아니라면 행복이다.

오슬로미술관에는 하루 동안 작품을 볼 수 있도록 미술관 안에 식당도 있고, 카페도 있다. 또한 작지만, 기념품 가게도 있고, 책들도 널려있다. 즉 하루 내내 오슬로에 살아보는 것도 좋겠다는 생각이다. 버킷리스트가 생겼다.

문제는 어디를 다시 갈지보다, 시간이 문제일 것이다. 시간이 나서 여행을 떠나는 경우는 별로 없다. 시간을 만들어 떠나는 거다.

리투아니아, 빌뉴스 근교 트라카이 성과 호수.

9
움직이는 존재

인간은 움직이는 존재, 어디를 여행하는 동물이다.
_ 김신일

인간은 한곳에 머물지 않는다. 어디로 떠나기를 원한다. 그러나 항상 상황이 우군은 아니다. 그래서 패키지여행의 사람들을 보면 다들 여행에 한이 있어 보인다. 사진을 찍는데 목숨을 거는 것 만큼, 지금의 이곳 저곳에 다시는 오지 못할 기세로 돌아다닌다.

우리네 인간들은 움직이는 존재다. 한곳에 머물러 있거나, 책상에 오래 앉아 있으면 어디가 아파진다. 움직여야 한다. 그런데 움직인다는 것은 여행한다는 것이요, 걸으면서 생각한다는 것을 뜻한다.

여행의 여유를 가질 수 없는 현실의 서글픔이 우리들을 압박한다. 시간으로 압박하고, 빨리 빨리를 외친다. 그래도 여행의 시간만큼은 자유롭고 발칙하게 그리고 색다르게 생각하고 행동해도 좋다. 자신이 하고 싶은 것들을 해보는 거다. 보통 맛있는 것을 먹고 싶고, 재밌는 선택 관광을 해보는 것도 좋다. 그중에 제일은 아마도 현지에서 현지인들과 소통해 보는 것이 아닐까.

여행의 한가운데서, 언어를 다시 배우고 싶은 충동을 느꼈다. 의사 소통에서 자유로워지면 얼마나 행복할까. 리투아니아의 수도 빌뉴스 근교 트라카이 성. 사진이 환상이다. 아들이 보냈다.

파리동역. 덴마크에서 온 아들을 만났다.

스트라스부르에서 떼제베(le TGV)를 17시 19분에 탑승, 파리 동역에 19시 5분에 내림. 1시간 46분 소요.

10
여행 중 아들을 만나는 법

가족이라고 항상 같이 있는 것은 아니리.
_ 김신일

가족이 4명이다. 아내와 딸과 아들이다. 아들은 수학을 공부하고 있고, 딸은 카페를 운영하고 있어, 쉬는 날이 따로 없다. 아내도 직장을 다니고 있어, 정말로 4명이 완전체가 되는 날이 어린 시절 말고는 쉽지가 않다.

스트라스부르에서 프랑스 파리 동역으로 기차를 탔다. 우리가 알고 있는 테제베(TGV)다. 지겹다는 생각도 없이 빠르게 파리에 입성했다. 스트라스부르에서 파리까지 1시간 46분이 걸렸다. 시간은 정확했다. 탑승하기 전에 기차가 연착할 듯 했는데, 거의 예정된 시간에 도착했다. 가이드가 '기차를 타는 플랫폼도 기차표에 쓰인 곳에서 변동이 될 것 같다' 했는데, 마지막까지 혼란스러웠다.

아무튼 파리 동역에 도착했다. 가이드에게 잘 이야기하여 파리동역에서 잠시 시간을 갖고 우버를 이용하여 호텔로 찾아가겠다고 했다. 사전에 기차에서 '만약 어떤 사고가 일어날 경우 모든 책임은 내가 진다'는 서약에 서명했다. 이런 것이 신경쓰이는 것은 아니다. 당연했다. 아무튼, 파리동역에서 아들을 만나기로 했기 때문이다. 아들은 덴마크 코펜하겐에서 어제 도착해 있었다. 아들은 교환학생으로 수학을 공부하고 있다. 온 가족은 도킹을 시도했고, 성공했다. 이제 맛있는 만찬을 먹으러 가야지. 우버가 생각보다 간편했고, 안전했다.

모든 순간은 내 스스로 세운 목표로 다가설 수 있는 절호의 기회인 셈이다.

제3장 로마

죽기 전에 꼭 가봐야 할 장소를 말하라면, 나는 주저 없이 로마라고 말하련다. 로마에서도 콜로세움과 포로 로마노를 이야기하고 싶다. 한 달을 머문다 해도 얼마나 설레이는 도시인가. 그것은 오래된 건축물이 저자에게 지속적으로 질문을 던지고 있기 때문이다. 질문과 대답, 얼마나 인생에서 기다렸던 순간이었나. 눈물이 난다.

콜로세움의 내부와 외부를 모두 보았노라.

1
콜로세움

버스에서 내리기 전 바라본 콜로세움은 작아보였다. 그러나 그것은 나만의 착각이었다.
_ 김신일

콜로세움이란 네로황제의 거대동상 콜로서스에서 유래했다고 한다. 사실 콜로세움이 세워진 장소가 네로황제의 호수가 있던 황궁이었다. 콜로세움과 처음 눈이 마주친 순간 작다는 느낌이 들었다. 왜 그랬는지는 모르겠다. 그러나 착각이었다. 찬찬히 다시 마음으로 만지고, 눈에 담는 시간이 늘어날수록 콜로세움의 모든 장관이 눈앞에 펼쳐졌다. 사람들은 세트를 좋아한다. 콜로세움과 포로 로마노를 함께 보는 일정이 가장 좋다. 그리고 다음 일정을 잡는 것을 추천한다.

현장에서 콜로세움에 들어가려했지만, 통제를 했다. 아마도 내부적으로 테러 등 신고가 있었던 것 같다. 한동안 시간이 흘렀다. 아침 일찍 도착했지만, 기다리다 그냥 돌아가야 할 순간을 맞았다. 아쉬웠다. 늘 외관만 보고, 내부를 보지 못하는 패키지 일정과 자유일정에 대한 아쉬운 말들을 너무 들었기 때문이다.

가이드의 말은 오후에 다시 오면 좋겠다는 것. 하염없이 기다릴 수 없다는 결정이었다. 먼저 판테온, 트레비분수 등 주변의 유적지를 둘러보는 것으로 방향을 돌렸다. 인생은 마음먹은 시간표대로 진행이 안되는 경우가 많다. 인내심이 필요한 순간이었다.

돌덩어리와 남은 건축물을 보며, 과거를 상상해 본다.

돌덩어리가 아름답게 보이는 곳. 보통 이런 돌들을 무대가 아닌 주변 한구석으로 치우는 법. 역사와 문화를 바라보는 시선의 차이.

2
포로 로마노

포로 로마노, 주변에서 로마의 중심이 되었던 장소다.
_ 김신일

누구나 가고 싶었던 장소가 있다. 포로 로마노도 사람들에게 그런 장소일거다. 그런데 장소를 본 느낌은 허허벌판같은 무너진 건축물의 잔해 집합소였다. 그런데 역설적으로 이것이 너무 좋았다. 눈으로 보는 것은 흩어진 돌덩어리들이었지만, 상상으로 우뚝 세워진 건축물을 보면서 주변을 걷노라면 새로운 생각이 바삭바삭거렸다.

가장 끝자락에 멀쩡하게 세워진 공공건물이었던 건축물이 눈에 들어왔다. 하나의 건물에 여러 시대의 증축의 결과물을 볼 수 있기 때문이다. 바닥에 깔려 있는 박석들. 같은 돌들이 없었다. 당시 포로 로마노 이곳에 성당이나, 의회, 시장 등이 모여있었다. 조선시대 종로같은 거리였다. 당시의 서민들이 이곳에 모여들었다는 생각에 동질의 감정이 느껴진다.

당시 이곳은 사람들이 살기에 형편없는 척박한 땅이었다. 그래서 주변이었다. 그런데 당시 로마의 지도자가 개척하여 불모의 땅을 로마의 중심지, 세계의 중심지로 만들기 시작했다. 삶에서 누구도 알아보지 않는 것이 있다. 누구도 인정하지 않는 사람이 있다. 그래도 자신의 생각이 있다면 일단 시도해 보는 거다. 가족까지 반대하거나 심한 말을 하는 경우, 괴롭겠지만, 그래도 직진하면 좋다.

당시 시멘트로 건축되었다는 동그란 돔으로 유명한 판테온.

3
판테온

판테온은 돔 때문에 유명한가.
_ 김신일

판테온하면 돔이다. 그런데 판테온이 오랜 시간 그대로의 모습을 보여주고 있는 것은 시멘트를 사용했기 때문이다. 그리고 판테온의 돔은 하나의 표준이 되어, 주변 건축가들의 새로운 건축물에 있어 돔의 기준점이 되었다.

판테온에서 기념사진을 한 장 찍는 정도로 판테온과의 시간은 끝났다. 안으로 들어가질 못했다. 시간이 없었다. 패키지 여행의 한계였다. 트레비 분수에서 출발해 판테온으로 걸어온 시간도 늦었다. 스페인광장을 포기하고 이곳으로 온 결정은 잘한 것 같다.

우리네 인생에서 결정을 하는 순간이 있다. 하나를 버리고 다른 하나를 선택하는 것이다. 아쉬움이 있다. 하지만 어떻게 모두를 선택할 것인가. 최근 여행을 가려고 한다. 아시아에서 선택하려는데 쉽지 않다. 가격부터 어렵다. 그래도 어떤 나라를 선택할 때 그 나라의 기준이 되는 역사적인 건축물이 있는지 살펴보려고 한다. 일정을 보면 먹거리, 물놀이 등이 대부분이다. 숨겨진 역사적인 시간을 그대로 겪었던 건축물이 여전히 버티고 있는가. 그럼 그곳을 여행 일정에 포함하자. 판테온은, 저자가 로마에 가서 보고 싶었던 건축물의 기준점이었다. 로마의 길이 세계로 통하듯이 말이다. 당시 건축 시멘트가 궁금하다면 인터넷에서 탐색하시길. 그럼 그것은 당신의 지식과 지혜가 된다.

이탈리아 스페인광장. 작은 배분수.(아래)

4
스페인광장

도시를 여행한다는 것은 글자 없는 독서다.
_ 김신일

결국 스페인광장을 보지 못했다. 가족 중에 아들이 스페인광장에 가봤다. 아들은 스페인의 스페인광장도 가봤다. 후자는 돈키호테의 저자 세르반테스의 동상이 있다.

로마의 휴일에 스페인광장이 나온 사연이, 이 광장이 유명해진 이유다. 로마에는 건축물과 광장이 많다. 광장은 사람들이 모이는 장소다. 즉 소통의 공간이다. 강요된 공간이 아니라, 만나는 공간, 자연스러운 공간이다. 그래서 좋다. 또한 광장이란 말하는 장소다. 실내가 아닌 열린 하늘을 바라보는 공간이다. 광장을 누가 건축했는지 찾아보는 것도 재미가 있겠다.

그래서 가끔씩 뉴스를 보면, 스페인광장에서 사람들이 자신의 의견을 강하게 발표하는 경우도 있다. 과거 우리나라에는 여의도 광장이란 너무 넓은 광장이 있었다. 롤러스케이트를 타던 장소였으며, 종교 집회의 장소였고, 이산가족 상봉의 역사를 지켜낸 장소였다. 지금은 그때의 모습이 사라졌다. 지금 여의도를 찾는 젊은이들은 유명 백화점 때문에 가는 것으로 안다.

다른 말로 도시의 광장은 당시 도서관과 서점, 카페의 역할 같았다. 우리나라 광장의 모습은 도서관, 서점의 역할도 찾기 어렵다. 어떤 모습인지, 가까운 곳을 보면 좋겠다. 백문이 불여일견이라.

베드로 성당의 현란한 기둥. 압도적인 미.

5
성베드로 성당

베드로는 어떻게 초대 교황이 되었나. 개신교가 더 어울리는데.
_ 김신일

성베드로 성당의 스케일은 대단했다. 그런데 베드로와 사도바울의 동상이 나란히 오른쪽 왼쪽에 세워져 있는 모습을 보면서 그들이 카톨릭의 역사에서 차지하는 비중을 읽을 수 있었다. 그래도 베드로 성당에서의 내 눈은 미켈란젤로의 피에타였다. 많은 사람들이 즐겨찾는 명소였기 때문도 있겠지만, 아들을 잃은 어머니의 슬픔은 어떤 것일까, 그런 느낌이 작품에서 표현되었을까. 살펴보고 싶은 욕심이 있었다.

또한 성베드로 대성당의 건축 총책임자가 바로 미케란젤로였기에 피에타에 대한 그의 애착은 더 대단했을거라고 생각한다. 빌 게이츠는 스무 살에 마이크로소프트를 세웠다고 한다. 위대한 사람들은 뭔가 계획을 하고 책임을 지고, 그것을 이루어나가는 열정과 인내심이 대단한 것 같다. 자신만의 뚝심 같은 스타일.

그렇게 우리들도 살자는 이야기가 아니다. 유한한 삶이다. 그런데 너무 사소한 것들로 아둥바둥하는 모습들을 보게 된다. 삶에서 자신이 하고 싶은 것들을 하면 좋겠다. 거기서 '달팽이의 꿈'을 이야기한다. 느리지만, 달팽이는 걷는 것이요, 느리지만, 달팽이는 달리는 것이다. 속도의 문제가 아니라, 삶의 방향성이다. 달팽이는 살아가는 것이다. 누가 그것에 대해 토를 달 것인가. 남을 신경쓰지 말라. 그래도 베드로가 초대 교황이 된 이유를 여전히 생각한다.

성 천사의 성. 수려한 조각상들.

지상에 착륙한 듯한, 고대의 UFO.

6
성 천사의 성

성 천사의 성은 산탄젤로 성이다.
_ 김신일

불행한 일들이 올 때 한가득, 한꺼번에 몰려오면 당황스럽다. 정말 뭔가하고 상황을 정리하게 된다. 최근 저자의 일이 그랬다. 화장실에서 누수가 생겨 물이 졸졸 벽에서 흘러내리며, 솟구치고 있었다. 거기에 보일러가 물보충 기능이 안되면서 완전히 고장나버렸다. 더욱이 월세는 84만으로 올해까지 고정되었지만, 다시 인상될 조짐이 있다. 불행이 한꺼번에 몰려들고 있다. 넉다운 직전이다.

그런데 로마의 도시는 행복이 한꺼번에 몰려오는 느낌이다. 콜로세움과 포로 로마노, 판테온과 성베드로 성당뿐만 아니라, 성 천사의 성도 저자의 마음을 흔들고 있다. 독특하게 생긴 자태는 쉽게 외관만 보고 떠나는 아쉬움을 크게 한다. 별거 아닌 마음으로 다가갔지만, 떠날 때 진가를 알아보는 친구 같을까.

고대 건축물의 기둥 양식을 살펴보면 이렇다. 도리스 양식, 이오니아 양식, 코린토스 양식. 또한 투스카니아식 양식. 이오니아식과 코린토스식을 혼합한 양식(콤포지션)까지. 그런데 현장에서 성 천사의 성을 만나면, 이런 식의 분류가 무슨 소용이 있을까 생각한다. 느낌이 우선이다. 거대한 UFO같다.

로마 시내 테베레 강변에서 찰깍. 로마에 저자가 서 있다.

트레비 분수의 앞쪽은 기존건물에 Make-up.

7
트레비 분수

삼거리 분수에 사람들이 모이는 이유가 뭘까.
_ 김신일

겉으로 보이는 것이 다는 아니다. 트레비 분수의 형태가 그렇다. 앞에서 본 분수의 화려한 모습에 속지 말라. 측면의 모습을 꼭 보길 바란다. 전면의 아름다운 장면과 다른 건축물이 기존에 있었다. 거기에 지금의 앞쪽 아름다운 분수 조각상과 건축물이 새롭게 탄생한 것이다. 기존 그림에 새롭게 색칠을 하듯이.

그런데 대부분의 관광객들은 기존 트레비분수의 앞쪽에 모였다 헤어진다. 측면의 건물을 보는 경우는 드물다. 측면의 골목에서 서로 다른 건축의 이중구조를 보는 재미도 색다르다. 더구나 좁은 골목에서 마차를 보았다. 차와 마차가 다니는 길이었다. 저자는 사진의 그림에서 나와 판테온을 찾아갔다.

우리나라 서울시청과 정동에 있는 시립미술관의 건축물도 기존 건축물을 어느 정도 살리면서 내부를 리모델링했다. 우리는 역사의 잣대로 건물을 부스거나, 관리를 잘못하거나, 또는 역사의 논리 등 이유로 건축물이 사라진다.

로마에서는 기존의 역사 건축과 세월의 흐름에서 만들어진 건축의 공존이 일상인 것 같다. 심지어 포로 로마노처럼 돌덩어리 조차도 그들에게는 보존해야 할 건축의 뼈대로 보였다.

몽마르뜨 언덕의 길을 걷다.(왼쪽이 인도)

8
유럽 걷는여행

여행은 걷는 것이다. 날씨가 좋다면 환상이겠다.
_ 김신일

걷는 곳이 꼭 순례길일 필요는 없다. 도시의 한가운데면 더 좋겠다. 로마라면 환상 그 자체다. 걷는 것 말고 조깅하는 모습도 로마에서 보게 된다. 피렌체에서도 사람들의 달리는 모습이 보인다. 도시에서 걷기와 달리기는 색다른 풍경이다. 그런데 대체적으로 바닥이 돌이다. 그래서 뛰는 것보다는 걷는 것을 선호하고 추천한다.

미니밴으로 로마의 유적지를 도는 대신 걷기로 했다. 심지어 이날 점심을 먹기 위해 식당으로 이동하면서 로마 중심을 한 시간 이상을 걸었다. 그냥 걸었다. 도시의 다양한 건물들이 인상적이었다. 주요 유적지가 아니라도 유적지처럼 고풍스럽게 보였다.

스위스의 루체른에서 카펠교 뒤 구시가지를 걸었다. 프랑스 동역에서도 우버택시를 타고 식당을 찾고 걸었다. 개선문에서 상제리제 거리를 쭉 걸었다. 대부분 바닥이 돌이 많았다. 유럽의 인도는 돌이다. 운치가 있다. 흙길보다 건강에는 안 좋겠지만. 우리나라의 고궁이나 왕릉에서 보는 박석같다.

인생에서도 걸어가야 할 때가 있다. 몽마르뜨 언덕에서 쉽게 케이블을 타면 1분도 안되어 정상에 올라간다. 그런데 계단으로 올라가면 너무나 빠르다. 인생에서 어느 순간 걸어가야 할 때가 있다.

플로리안 카페. 노상 테이블에서 카페와 샌드위치를 주문. 멋진 남자가 고풍스런 쟁반을 들고 가져다주는 환상적인 서비스가 일품. 몽마르뜨 언덕의 카페에서 만난 에스프레소.(아래)

9
에스프레소

이탈리아 여행 후 달라진 한가지는 에스프레스다.
_ 김신일

에스프레소가 진해서 안 먹는 사람들이 많다. 순간 압축하여 내린 커피의 진한 맛이 너무나 좋다. 진짜 커피라고 생각한다. 보통 우리가 마시는 커피는 물이 더 많다. 더구나 아이스커피의 얼음이 녹으면 커피의 진한 맛은 더 사라진다. 이탈리아 여행에서 틈만 나면 에스프레소, 카페를 마셨다. 한두 모금 홀짝이면 끝이다. 한방울도 새롭다. 정신을 바짝 차리게 하고, 여행에 더 집중하게 한다. 커피숍이 우리나라처럼 많지는 않지만, 노상에서 음식이나 커피를 마시는 문화가 대중적이다.

여행 후에도 여전히 출근길에 아침마다 에스프레소 한 잔을 주문한다. 바로 압축하여 내린 커피는 내 몸의 동기부여의 활력소가 된다. 피렌체 플로리안 카페도 가봤다. 이탈리아에서 가장 오래된 커피숍이라 한다. 올해 기준으로 304년이 된다. 참으로 놀랍다.

안으로 들어갈 수가 없었다. 자리가 없었다. 이날 산마르코 광장에서는 피렌체의 한 대학의 졸업식이 진행되고 있어 어느 때보다 사람들로 북적였다. 카페 바로 옆 노상 자리에 앉았다. 산마르코 광장의 한 견을 바라보며 커피를 마셨다. 에스프레소였다.

역사의 현장에 오늘도 수많은 사람들이 다녀갔다. 저자도 그랬다.

에스토니아 탈린에서 만난 인상적인 중세 건축물.

10
또 온다면, 로마

로마에 다시 올 날이 있을까, 걱정이다.
_ 김신일

로마에 다시 올 날이 있겠지. 생각한다. 그러나 걱정이다. 정말 언제 다시 올 것인가. 오직 로마에만 올 수 있을까. 힘들 것 같다. 혼자가 아니라면. 가족과 함께 온다면, 대략 코스는 이탈리아, 프랑스, 스위스와 영국까지. 이곳이 아니라면 스페인과 포르투갈이다. 여기도 아니라면 동유럽이겠지. 동유럽을 지나면 발칸반도 3국 또는 터키 정도. 이후 북유럽을 고려할 것이다.

그런데, 한 나라를 선택해야 한다면, 결국 로마일 것이다. 물과 관련된 관광이 없다. 물론 분수가 있지만. 또한 역사와 문화가 공존하는 도시다. 더구나 도시의 면적 자체가 그리 크지 않다. 한 달 안쪽으로 생활하면서 도시여행을 도전하기에 안성마춤.

다음으로 프랑스의 몽마르뜨 언덕 아래 계단에서 그림을 그리고 싶다. 풍경화도 좋고, 인물화도 좋다. 연필과 도화지를 팔에 끼고 거리를 걸어보고 싶다. 마치 예술가가 된 듯이. 상상의 생각은 사람을 설레게 하고 들뜨게 한다. 스위스에 간다면 예쁜 시계 하나를 사고 싶고, 영국에 간다면, 켈트족의 흔적을 찾아보고 싶다.

터키로 간다면, 열기구를 타는 것보다 고대도시 에베소에서 셀수스 도서관 앞에서 인생샷 한 장을 찍고 싶다. 마지막 여행처럼.

모든 순간은 내 스스로 세운 목표로 다가설 수 있는 절호의 기회인 셈이다.

제4장 프랑스

로마를 지나, 프랑스로 입성했다. 프랑스의 개선문과 에펠탑을 보는 것이 먼저인가. 그럼 무엇을 먼저 생각해야 할까. 프랑스의 현재 정신을 보고 싶었다. 루브르박물관을 가고 싶었다. 그러나 인생이 그렇듯, 오슬로미술관으로 대체되었다. 인생은 차선인가.

에펠탑과 앞 잔디.(못 들어감)

1
에펠탑

어떻게 철 덩어리가 프랑스의 상징, 에펠탑이 되었나.
_ 김신일

어떻게 철 덩어리가 세계적인 명소가 되었는가. 거기에 이야기가 담겨있기 때문이다. 1889년 파리에서 열릴 세계박람회 기념하여 에펠탑을 짓기로 결정한다. 결국 에펠은 3월 30일 에펠탑을 완성한다. 에펠은 이름을 남긴 것이 최고의 수익이라 생각한다.

모파상은 에펠탑을 싫어했다. 에펠탑 아래에서 점심식사를 지속적으로 했다는 일화는 사실 여부를 떠나 유명하다. 그 곳에서는 에펠탑을 볼 수 없다는 이유에서다. 에펠탑의 높이는 300미터다.

처음에 볼 때 별다른 감흥이 없지만, 자세히 바라보면 점점 정이 드는 탑이다. 철제가 생각보다 섬세하다. 엘리베이터로 가장 위로 올라가는 방법도 있다. 저자는 적당한 거리에서 보는 것으로 족했다.

철로 만들어진 것 중에서 우리나라에 에펠탑만큼 운치있는 탑이 있을까. 처음에 들렸던 비판의 목소리에 굴하지 않고 에펠탑을 세웠던 에펠의 의지에 박수를 보내고 싶다. 동네에 전선 탑이 있다. 산을 배경으로 높기도 높다. 그런데 위험하다. 전선 탑이 에펠탑만큼 멋있다면 좋았을 것을. 에펠탑도 처음엔 그렇게 생각했다.

프랑스의 개선문, 에투알 광장.

2
개선문

검토하지 않는 삶은 가치가 없다.
_ 소크라테스

검토하지 않는 삶은 가치가 없다고 소크라테스는 말했고, 만성하지 않는 삶은 살 가치가 없다고 플라톤은 말했다. 삶을 개선문 앞에서 생각한다. 한 도시의 상징이 되어버린 개선문. 저자는 개선문 앞 사람들 속에서 삶에 대해 검토하는 생각을 가졌다. 저자는 만성하는 삶을 살 수 있을까. 그런데 이내 이런 생각을 버렸다.

나폴레옹은 이탈리아의 개선문을 프랑스로 가져오려고 했다고 한다. 그것이 쉬운 일인가. 그래서 차선으로 모방을 한 것이리라. 모방은 제2의 창조다. 사업을 하는 딸아이가 새로운 메뉴 개발에 대해 이야기한다. 기존의 메뉴에서 계절에 맞게 새롭게, 또는 과거의 역사적인 메뉴를 다시 불러와 조금 비틀어서 새롭게 메뉴를 구성하기도 한다고 말했다. 그러면서 모방은 제2의 창조라는 말을 했다. 맞다. 어떻게다. 기존 프레임에서 모방하여 새롭게 할지다.

저자는 개선문 앞에서 다시 상제리제 거리로 걸어간다. 개선문에서 제대로 사진 한 장 찍으려했지만, 너무 많은 인파에 제대로 크로즈업이 되지 않는다. 아쉽다. 에투알 광장의 개선문은 높이 51미터, 너비 45미터로 웅장하다. 로마의 티투스 개선문에서 영감을 받은 개선문이다. 나폴레옹 1세의 명령으로 건립되었다.

그렇다면 우리나라 독립문은 어떤 것을 닮은 걸까.

몽마르뜨 언덕 케이블카. 정상에서 풍경.(아래)

3
몽마르뜨 언덕

몽마르뜨 언덕, 우리나라로 말하면 잘생긴 달동네.
_ 김신일

달동네도 개발이 잘 되면, 완전히 탈바꿈할 수 있다는 생각을 몽마르뜨 언덕에서 해봤다. 그런데 건축물이 고층으로 올라가고 세련된 상점들이 즐비한 것이 아니라면 우리네 생각과는 조금 다른 개발 같다. 즉 바뀌는 기준이 형태에 있지 않고 내면에 있기 때문이다. 더구나 스토리를 품고 있다. 예술을 사랑하는 아트의 동네다.

지역아동센터에서 아이들과 어항에 물고기들을 그렸다. 조그만 금붕어들이 알록달록 그림에서 살아 움직였다. 그런데 이날 공교롭게도 급식에서 국이 어묵국이었고, 금붕어 모양의 어묵 2마리가 국 위에 둥둥 떠다니고 있었다. 맙소서. 상상의 생각이 바뀌면 어떤 일이 일어날지 아무도 모른다.

많은 사람들이 몽마르뜨 언덕에 오른다. 길지는 않지만, 오르막이 힘들면 단순한 케이블카를 타고 올라가도 좋다. 편도면 좋겠다. 한번은 걸어봐야 제 맛이다. 저자가 찾아간 날은 정상에서 노점의 상가들이 많지 않았다. 오전 시간이라 그런지도 모르겠다.

언덕 위 카라멜 상점에서 이것 저것을 봉투에 담았다. 생각보다 비쌌다. 가이드의 말대로 언덕 아래와 차이가 컸다. 언덕 아래 출발지로 내려와 카페를 마시는 여유를 부렸다. 에스프레소가 맛있다.

성당 담벼락 아래, 잔디에 사람들이 모일 때 장관.

4
사크레쾨르 대성당

성당이 많다. 로마가 기독교를 국교화하지 않았다면.
_ 김신일

몽마르뜨 언덕, 사크레쾨르 대성당이다. 사람들은 안에 들어가기보다 주변과 언덕에서 바라보는 프랑스의 도시 풍경을 더 좋아한다. 언덕에서 멀리 에펠탑이 보인다. 날씨가 깨끗하다는 뜻이다. 시간이 좀 걸려도 걸어서 갈 수 있는 거리다. 파리가 그렇다.

웅장하다는 느낌은 없다. 특별하기는 하다. 그런데 수없이 성당을 봤었기에, 별다른 감흥이 약하다는 건 사실이다. 130미터의 언덕에 올라, 성당 앞에 펼쳐진 풍경도 멋있지만, 아래로 경사진 계단과 잔디를 바라보는 뷰가 정말 특별하다. 그래서 사람들이 이 곳을 찾는구나 생각이 든다.

1870년 프랑스가 프로이센(독일)과의 전쟁에서 패했다. 그런 시대에 국민의 사기와 가톨릭교도들의 마음을 달래주려고 성당 건축이 계획되었다고 한다. 그런데 이 지역의 땅은 지반이 약하다. 그래서 성당의 완성까지 40년의 세월이 흘렀다고 한다.

그런데 민간인들이 기부하여 성당이 건축되었다는 사실이 놀랍다. 코로나19 이후 동네 지역아동센터에는 기부하는 개인 손길들이 사라졌다. 지아센도 처절한 자기반성의 시간이 필요할 듯.

두 번째 달팽이 요리.(부용 아님) 부용 레스토랑(아래), 프랑스 가정식이 모토. 부용에서도 달팽이 요리 먹음.

5
달팽이 요리2

달팽이 입장에서 요리로 생을 마감했다면 기분이 어떨까.
_ 김신일

달팽이의 꿈이 있다. 늘 토끼와 거북이의 경주에 세상은 열광한다. 승패가 확실히 갈리는 게임을 좋아한다. 요즘 아이들이 폰에 빠져 산다. 그런데 승패가 없는 경기가 있는가. 그런데 달팽이 꿈에는 승패가 없다. 경쟁이 아니기 때문이다. 자신과 경쟁하고 공헌한다. 여행도 경쟁이 아닌, 그냥 자신과의 대화요, 걷기다.

에스카르고, 달팽이요리는 단백질이 풍부하고 지방이 적은 건강식이다. 그런데 여러 가지 달팽이 중에서 모두가 달팽이요리에 선택되는 것은 아니다. 달팽이 중에서 식용 달팽이로 선택되어 최종 에스카르고로 낙점되는 달팽이들이 있다. 선택되는 것이다.

인생도 그렇다. 자신은 경쟁을 하고 싶지 않았지만, 결국 경쟁의 한가운데 자신이 서 있는 경우다. 대부분의 달팽이는 요리되길 원하지도 않았고, 요리의 달팽이로 선택되길 원하지 않았을 것이다.

저자는 프랑스 파리 식당에서 포도주에 달팽이요리를 맛있게 먹었다. 거부감을 걱정했지만, 생각을 멈추고 달팽이요리의 식감에 집중했다.

달팽이에게 미안하다. 자신의 꿈이 있었고, 그 길을 달리고 있었을 텐데. 느리지만, 달팽이의 꿈, 말이다. 달팽이, 파이팅!

상제리제 거리. 개선문과 일직선.

불가리 대형 광고판이 화려하다.

6
상제리제 거리

프랑스의 상제리제 거리를 걷다, 맥도널드에 들어갔다. 습관이 무섭다.
_ 김신일

프랑스의 상제리제 거리를 걸었다. 개선문을 보고, 길을 걸으면 그곳이 상제리제 거리다. 불가리 광고물 앞에서 멋지게 인증샷. 멀리 삼성의 광고판도 보인다. 그러다 화장실을 가야 했다. 주변을 살펴서 맥도널드를 찾았다. 그냥 화장실로 직행했다.

아뿔사. 번호키다. 상품을 구입한 후 이용할 수 있다. 급하면 적당한 것을 사고, 화장실을 가면 된다. 상제리제 거리를 걷고 걸었다. 사진을 찍는 사람들은 한국 사람들이다. 프랑스로 보이는 외국인들은 그냥 걷는다. 그래도 사진 찍는 우리들을 이상하게 보거나 하지는 않는다. 이런 분위기, 생각이 좋다.

명품의 거리, 디자인의 거리를 걸으면서 생각했다. 프랑스 사람들은 명품을 산다. 사서 오래 쓴다고 한다. 한 제품의 가치가 여러 개를 사는 것보다 오히려 경제적이라는 사실이다. 우리나라 사람들은 고가의 명품을 사고 또 산다. 그리고 꼭 보여줘야 한다. 자신이 이것을 샀다는 역사적인 사실을 말이다. 명품에 대한 생각이 다르다. 또한 자신만의 명품을 사는 것도 좋겠지만, 생각해 보라. 자신의 명품을 만들어 보는 것을. 명품을 사고, 자신만의 명품을 만들라. 그것이 진정 명품에 대한 예의요, 생각이 아닐까. 저자의 <너만의 명품을 만들라>는 명품을 만들어 내는 환경 이야기다.

'푸르다'는 말이 저절로 나오는 센강.

센강 주변, 생각하기가 좋다.

7
센강을 걷다

센강을 걷는 사람들이 한강을 걷는 이들보다 많다.
_ 김신일

센강 이쪽에서 저쪽으로 건너는 것은 다리를 건너면 된다. 인도가 넓다. 우리네 한강 이쪽에서 저쪽으로 가는 것보다 훨씬 쉽다. 그래서인지 오고 가는 사람들도 많다. 더구나 오르세 미술관이나 루부르박물관처럼 주요 볼거리가 주변에 널려있다. 강변 한쪽에 튀긴 밤을 파는 노점상도 있다. 책을 노상에서 파는 서점도 보인다. 강변 아래로 내려가 유람선을 타거나, 그냥 강 가까이에서 걸어가거나 뛰어볼 수도 있다. 강의 폭이 한강보다 가까운 것이 장점이다.

우리네 일상의 삶에서 산이나 강이 집과 가까이 있으면 좋은가. 또는 공원이 집과 가까이 있다면 좋은건가. 우리는 먼저 지하철이 가까운가를 생각한다. 집에서 박물관이나 미술관은 고사하고, 서점이나 도서관조차 고려의 대상이 아니다. 오직 지하철 또는 급행, gtx, 철도 등을 우선하여 고려한다. 생각의 차이가 무섭다.

살면서 어떤 생각을 하는냐가 중요하다. 로댕의 생각하는 사람도 있다. 그것을 본다고 생각이 갑자기 떠오르지는 않겠지만. 프랑스 출신의 인상파 화가였던 폴 고갱의 '우리는 어디서 와서 어디로 가는가?'란 작품이 있다. 생각은 커지면서 깊어지는 것이다. 자신의 존재에 대한 질문이 터진다. 그래서 여행은 의미가 있다.

순간 고흐의 '아를의 별이 빛나는 밤', 작품이 떠오른다.

순간 뷰창으로 생각할 수도, 뭘까? 오르세미술관.

8
오르세 미술관

왜 루브르박물관을 못 가면, 오르세 미술관으로 대체인가.
_ 김신일

오르세 미술관은 대체미술관인가. 5월 여행 일정에서는 루브르박물관이었다. 그런데 사정이 생기면 오르세미술관 등으로 대체된다는 문구가 보였다. 그럼 처음부터 루브르박물관 또는 오르세미술관으로 해야 옳다고 본다.

오르세 미술관을 싫어하는 것은 아니다. 오르세 미술관도 좋고, 루브르박물관도 좋다. 오르세 미술관이든, 루브르박물관이던 최소한 반나절의 시간이 있었으면 좋겠다. 너무 짧은 시간에 많은 작품들을 보려니, 처음부터 기가 차고 할 말을 잃었다.

그래서 극단적인 생각을 품었다. 몇 개의 작품에 몰입하기로 했다. 모든 일은 몰입에서 성과를 거두는 편이다. 설렁설렁 일을 하는 것보다, 아주 몰입한 집중시간의 한가운데 성과물은 나오기 마련이다.

작가를 본다. 바르비종파, 장 프랑수아 밀레(1814~1875). 작품은 '이삭줍는 여인들'과 '만종'. 인상주의 아버지, 에두아르 마네(1832~1883). 작품은 '풀밭 위의 점심'. 이제 천천히 움직여. 그러다 고갱이나 고흐를 만나면 어떡하지. 보면 생각이 커지겠지.

철제 에펠탑과 나무의 조화가 자연스럽다.

9
파리 올림픽

센강을 중심으로 파리 올림픽이 열린다.
_ 김신일

유럽 여행을 다녀온 후 뉴스를 봤다. 7월 말 파리에서 올림픽이 열린다. 센강에서 수영을 한다고 한다. 센강을 가까이서 보았다. 저기서 수영을 한다고, 미쳤다. 뉴스에서 수영하는 장면을 보았다. 사실 수영한 선수들이 어떨지 걱정이 앞선다. 프랑스에도 거지들이 있을까. 저자가 본 거지의 옷차림은 외설적이었다. 아무튼 올림픽 기간에는 좀 사라질 것 같다.

파리에서 올림픽이 열린다면, 에펠탑이 멋지게 빛날거라 생각한다. 생각의 차이가 무섭다. 언제는 철덩어리라고 비난의 한가운데 있었던 에펠탑이 어느 순간 파리의 중심이 되고, 관광과 문화의 맏형이 된 느낌을. 센강에서 수영은 어떨지 두고 볼 일이다. 현실적으로 저자는 반대다. 센강의 물 상태를 직접 눈으로 보았다.

우리네 인생도 그렇다. 보통의 시절, 평범하게 생각했던 사안이 나중에 굉장한 파괴력을 가진 화두가 되기도 한다. 과거에는 평범했던 사람들이 어느 순간 만났는데 상당히 발전한 모습을 여러 구석에서 보게 된다. 이야기해보면 확연히 느껴진다. 피리에서 올림픽이 열린다. 비판의 화살들이 날아온다. 그러나 잠시 생각을 집중하고 당신이 파리시장이라면 어떻게 할지 생각해 보라. 생각만으로 상상만으로 즐겁지 아니한가. 내가 파리시장이라니. 진정하시길. 요점은 파리시장이 아닌, 생각의 확장이다.

'스트라스부르'에서 생각에 빠지다.

생각은 읽는 행위, 즉 여행과 만나게 됨. 유럽 한식당에서.

10
유럽 근원여행

유럽을 여행한다는 것은 자신의 근원을 찾는 것이다.
_ 김신일

왜 유럽에 가는가. 저자는 유럽이 문화의 근원이기 때문이라고 생각한다. 인간이 인간임을 증명한 장소라는 뜻이다. 어떻게 살아갈지를 모르고선 정말로 살기가 힘들다. 살아도 방향성이 흔들리기에 비틀거린다. 노력하다 지친다. 다시 걷기조차 힘들다.

철학의 정신을 강조하지만, 대학에서 철학과는 인기가 없다. 어떻게 살아가는 것이 현명할까 생각하지만, 결국 생각의 자리에 현실적인 이해관계가 대신 자리를 차지한다. 시인보다 의사처럼.

우리들 삶의 근원은 무엇인가. 어설픈 주일 목사의 설교 한마디에 낙심하고 일주일을 버틴다. 우리는 힘겨운 삶의 현장에서 일하고 주일예배를 드린다. 목사의 말은 그 힘든 구석을 건드려주어야 함이 옳다. 그런데 이번 주일의 설교도 성도들의 어려웠던 한 주간의 고생에 대한 언급이 없다. 설교문에 매달리지 말고, 실수해도 성도들과 눈을 마주치며 이야기하면 어떨까. 유럽에서 성당을 자주 만난다. 꼭 기독교인이 아니라도 엄숙해지는 시간이 많다. 현장에서 진지함의 화살이 우리 가슴을 향하고 있다. 그럴 때 성당의 아름다움보다, 자신의 내면 울림에 귀를 모아보자. 묵상이나 명상. 근원은 자신을 찾는 것이다. 어떤 사람으로 남을 것인가. 생각하다 잠든다. 어떻게, 무엇을 변화시켜야 하나? 질문이 생각을 키운다.

모든 순간은 내 스스로 세운 목표로 다가설 수 있는
절호의 기회인 셈이다.

제5장 스위스

스위스를 찾는 사람들은 풍경에 반한다. 리기산 정상에 올라 첩첩한 눈덮힌 우뚝 솟은 산들의 장관을 보노라면, 인간의 나약함과 생각의 본질에 들어가는 경험을 한다. 생각이 참으로 필요한 시기에 사람들이 생각을 잃어버렸다. 생각의 부활을 위해 유럽을 걷는다. 스위스의 루체른에서.

루체른역에서 횡단보도 건너편에 위치한 우체국 건물.

루체른 주변은 어디든 사진의 명소.

1
루체른 호수

루체른 호수 외에도 로이스 강, 루체른역, 카펠교가 보인다.
_ 김신일

왜 루체른 호수에서 유람선을 타지 않았을까. 걷고 싶었다. 루체른의 도시 골목길을. '언제 다시 오겠어. 유람선을 타야지.' 란 생각이 맞을지 모르지만. 유람선에서 바라보는 풍경에 별로 느낌과 기대가 없었다는 것이 맞다. 호수 앞에서 길을 걸으며 풍경을 잠시 감상한 것으로 족했다.

카펠교를 건너, 뒤편으로 걸어가면 노점상들이 촘촘히 모여있다. 작은 기념품 같은 것들을 팔고 있다. 작은 공원도 만났다. 유럽은 대부분 화장실이 유료다. 공원에서 무료 공공 화장실을 만났다. 대신 유료에 비해 깔끔하지는 않았다. 유료는 단지 가격의 문제는 아닌 것 같다. 관리의 문제였고, 적당한 가격이면 유료도 신경 쓰일 정도는 아니다. 유럽여행에서 생각보다 화장실로 인해 고생한 경험은 없었다. 정당하게 가격을 지불하고 이용한다 생각하고 걸어다녔다. 그래야 마음도 편하다.

아들이 지금 에스토니아를 여행하고 있다. 중세의 도시를 품고 있는 수도가 '탈린'인 나라다. 카톡으로 에스토니아 사진 한 장을 받았다. 중세의 멋스런 성곽을 보여주는 건축물이었다. 여행은 그 자체로 사람을 생각하게 만든다. 루체른역에 서서 오가는 사람들의 동선을 바라본다. '아 내가 루체른역사에서 서성거리고 있구나.'

카펠교 구시가지를 무작정 걸어다니다. 익명이 주는 즐거움.

2
카펠교

호된 화재를 겪은 카펠교에서 인생을 배운다.
_ 김신일

카펠교는 유럽에서 오래된 목재 다리다. 1333년에 세워진 다리는 지붕이 있는 것이 특징이다. 그런데 화재가 발생했다. 상당 부분 소실되었고, 지금의 모습으로 복귀되었다. 우리나라 남대문의 화재와 복구 과정을 아는 사람들은 카펠교를 보며 남다른 느낌이 나지 않을까. 다리 중간쯤 보여지는 팔각형의 탑 건축물은 1993년 화재 때 반 정도 소실되었다고 한다. 또한 카펠교 지붕 쪽에 그림들도 화재로 사라졌다.

그런데 말이다. 카펠교를 배경으로 멋진 인생 사진을 찍는 정도라면 화재의 의미는 크게 영향을 주는 것은 아니리라. 여전히 화재의 흔적이 남아있다고 하지만 사람들은 신경을 쓰는 눈치가 아니다.

루체른역에서 내려서 밖으로 나오면 카펠교가 한눈에 들어온다. 정말 가까운 거리다. 5분 정도다. 루체른 호수에 카펠교가 있는 것이 아니다. 카펠교는 로이스 강이다. 루체른 호수와 반대편에 위치한다. 루체른역, 카펠교, 그리고 빈사의 사자상 순서로 걸어보면 어떨까. 카펠교에서 조국을 위해 싸웠던 용사들의 용기를 기념하는 빈사의 사자상까지 거리는 멀지 않다. 사자를 보기 위해 직선으로 걷지는 말자. 그냥 카펠교에서 한 바퀴 동네를 돌아보자. 그러면서 중세의 성곽과 중세 주택을 마주 보는 행운을 누려보길 바랄뿐이다.

빈사의 사자. 용기란 가치를 생각한다.

3
빈사의 사자상

글을 쓰고 말하는 법을 보면 그 사람을 어느 정도 이해할 수 있다.
_ 김신일

단점은 최소화, 장점은 극대화. 커피 카페를 운영하는 딸의 카페 매뉴얼을 보니, 단점과 장점의 표현이 새롭다. 사회복지사로서 일하면 자신의 단점과 장점이 아닌, 장점과 단점 순서로 자신을 이해하는 것이 좋겠다는 생각을 전부터 했다. 스위스 루체른이란 도시 자체가 자신의 장점을 잘 살려낸 도시다. 누구나 쉽게 루체른역에서 내려, 카펠교를 걷다, 빈사의 사자상으로 향한다. 루체른역에서 카펠교는 3분 정도, 카펠교에서 빈사의 사자상까지 걸어가면 10분 정도의 거리, 1km 전후다. 여행자의 입장에서 최적화된 도시다.

카펠교에서 도시의 상가 길을 걸어 빈사의 사자상으로 간다면, 시간이 더 걸리겠지만. 나라를 위해 목숨을 걸었다는 것은 무엇과도 비교 못할 정도로 숭고한 일이다. 한국전쟁 당시 죽음의 전쟁터에서 목숨을 던진 젊은 용사들의 지나간 흔적, 비목이란 가곡을 아는가. 그런데 국립묘지, 현충원에서 군인들이 비목을 부르는 것을 유튜브에서 본 적이 있다. 빈사의 사자상은 비목보다 유명세를 탔다.

분명, 빈사의 사자상은 전 세계에서 스위스 루체른으로 찾아오는 명소며, 비목과 다른 것도 사실이다. 똑같이 숙연하고 가슴으로 기억해야 할 곳. 문화 콘텐츠 생각이 이토록 차이를 만든다.

스위스 리기산 정상에서 만난 대장군.

리기산 정상 전망대에서 설산을 바라봄.

4
리기산

한라산에 올라가는 것보다 리기산이 편하고 즐겁다.
_ 김신일

유럽으로 여행을 가고자 했다. 바쁜 시간이고 저렴한 여행을 찾았다. 하지만 날짜에 맞췄고, 나라에 맞췄다. 이탈리아, 스위스, 프랑스였다. 특히 풍경이 아름다운 스위스에 대해 기대가 크지는 않았다. 리기산은 일순위가 아니였다. 하지만 기대하지 않은 기대는 현장에서 기대 이상 만족으로 변했다. 산을 올라갈 때는 산악열차, 내려올 때는 케이블카였다. 올라갈 때 못 본 풍경들이 내려올 때 보였다. 대학 시절 한라산에 올라갈 때 힘겨운 수고로움을 기억한다. 그때 비하면 관광도시 스위스의 리기산은 여유롭고, 여백을 채우기에 충분했다. 산악열차나 케이블카조차 자연의 일부 같았다.

정상 기념품 숍에서 소소한 물건들을 사는 재미도 좋았고. 눈으로 덥힌 리기산의 풍경을 사진과 마음에 담는 순간도 산뜻했다. 산악열차라는 것을 처음 타는 기분도 묘했다. 주변의 풍경은 한가롭고, 그림같았다. 한 폭의 조용한 마을. 산자락들은 봄이지만, 쌓인 눈으로 말하는 겨울의 풍경들. 내려갈 때 70여명이 탈 수 있는 거대한 케이블카에서 호수와 주변의 산들, 한없이 고요한 시골 마을의 모습들. '그래서 스위스는 풍경이라고 하는구나' 생각이 들었다.

산 정상에서 마셨던 에스프레소 한잔. 또한 나무로 만든 한국식 대장군을 보며, 호연지기보다, 생각이 큰 녀석을 만났다는 기쁨이 컸다.

리기산에서 케이블카로 내려오는 길에 마주친 풍경.

화재 후 새롭게 건축된 루체른역사 주변.

5
스위스 풍경

스위스의 풍경에 가려진 무엇을 보아라.
_ 김신일

심심하면 여행을 떠나면 좋겠다. 그런데 우리네 삶의 모습이 그렇지는 못하다. 여행 글을 쓸 때 아들에게서 톡이 왔다. 리투아니아 여행 중이라 한다. 얼마 전 에스토니아에 있다고 했는데 말이다. 젊은 시절 여행은 젊음의 시간을 늘려준다. 그러면 신청년(신중년)의 나이에 여행은 어떤 의미를 줄까. 그것은 현재를 여행하지만, 과거를 회상하고 미래를 바라보는 여행의 시간이 아닐까.

스위스는 아름답다. 여행의 시간에서 과거의 시간을 찾는다. 어린 시절 어머니는 힘들게 사셨기에, 여행다운 여행을 한번도 못한 채 돌아가셨다. 아버지도 일 때문에 해외로 나가지는 못했다. 두 분이면 여행을 떠나신 적은 기억이 안난다. 그래서 저자에게 가족여행이란 꿈같은 이야기라고 생각했다.

여행이란 즐거운 것이며, 누구나 마음만 먹으면 쉽게 갈 수 있는 시대다. 스위스의 풍경이란 컴퓨터 바탕화면 같다. 가끔 우리나라 지방에 가면 이런 느낌이 드는 장소를 만나기도 하지만, 스위스는 많은 곳이 그런 느낌이다. 인생에서 스위스의 알프스, 호수, 한가롭게 풀을 먹는 소들의 모습들. 정말 이런 풍경에서 살고 싶다는 생각보다, 스위스처럼 정말 자신의 장점을 제대로 살려 살아야겠구나 하는 생각이 든다. 자신의 장점이 있는데, 단점에 괴로워할 필요는 없겠지요. 스위스 풍경에서 완전 다른 생각을 한다.

유럽은 축구만큼이나 다양한 빵의 대륙.(만원)

6
유럽축구

유럽축구는 유럽여행의 색다른 시선이다.
_ 김신일

지금 유로 2024 축구가 한창이다. 영국도 출전했지만, 같은 대영제국 안에 스코틀랜드도 나왔다. 에펠탑 프랑스의 음바페, 지루. 과거 지단의 역사를 다시 쓸지 주목한다.

현장에서 보지는 못하지만, 인터넷으로 축구를 보면서 유럽의 색다르고 발칙한 여행을 떠난다. 발트해 3국 중에 유로 2024에 나온 국가가 있는지. 북유럽의 덴마크 외 어떤 나라가 또 나왔는지 살펴보는 재미도 있다.

그래도 유럽축구를 시청하면서 영국의 케인 등 어떤 스타가 골을 넣을지에 관심을 두겠지만, 정작 숨겨진 진실은 다른 곳에 있다. 그것은 유럽의 역사다. 평소 유럽의 역사를 공부하자니, 졸음이 밀려올 것 같다. 그런데 축구를 보면서 조금씩 출전국 각 나라의 역사를 공부하면 한결 수월하고 즐겁게 넘어간다. 미디어도 한몫 거든다. 유럽축구 출전국들의 지도 위치며, 각 나라의 특색과 역사를 그래픽까지 보여주며 친절하게 보여주고 있다.

바로 이때가 기회인 셈이다. 드라마를 보는 것보다 아름다운 한 편의 영화. 정신을 차리고 글을 쓰면 말끔한 글이 나올 것 같지만, 너무 정형화된 글이 나올 확률도 높다. 그러니 글을 쓸 때는 적당히 미쳐있으면 좋다. 축구에 빠져 미치듯. 유럽 역사의 텍스트를 읽자. 아무튼 어떤 나라가 우승할까. 결국 기승전스페인.

. 자유여행은 직선이 아닌, 곡선.

7
자유 여행

여행 일정을 짜는 순간부터 여행이 시작이다.
_ 김신일

지인이 스위스로 여행을 떠난다. 우리 가족이 최근 유럽여행을 다녀온 것을 부러워했다. 곧 떠난다고 한다. 패키지여행도 아닌, 스스로 일정을 짜고 돌아다니는 자유여행이다. 부부와 자녀, 그리고 어르신들 2명도 포함이다. 대단하다. 스위스를 선택한 안목부터 위대하고, 렌터카를 빌려 스스로 여행을 시도한다는 것에 박수를 친다. 또한 출발도 사정상 2팀으로 나눠 진행한다고 한다. 분명 여행 일정부터 여행의 순간이기에, 이때부터 즐거운 마음이어야 한다.

인생을 살면서 우리는 여러 순간을 만난다. 그런데 아마도 여행 일정을 짜는 시간이 가장 재밌고 설레는 순간이 아닐까. 최근 저자도 일본 여행 일정을 짜고 있다. 자유여행은 힘들어서, 패키지여행을 알아보고 있다. 며칠이면 결정되지만, 자유여행이 부러운 것은 사실이다.

스위스 여행이라면 루체른에서 출발하면 좋겠다. 왜냐하면 도시다운 도시였기 때문이다. 스위스가 아름다운 풍경의 도시지만, 스위스의 현대와 중세의 숨겨진 모습을 보는 것에서 여행을 시작하길 바란다. 루체른에서 융프라우까지가 50km 정도다. 이 반경 안에 스위스의 여행이 포함된다. 여행 일정을 짜는 순간이 가장 아름다운 여행이다. 그 순간부터 즐겁고 행복하게 떠나는 거다.

다비드상, 무엇을 생각하는가. 미켈란젤로 광장.

8
여행 후 남는 것

여행 후 남는 것은 사진이 아니라, 글이요, 생각이다.
_ 김신일

요즘 여행이 대세다. 무리해서라도 여행은 기본이다. 그런데 다녀온 후 무엇을 하는가. 특별할게 없다. 사진첩을 주문해서 제작하는 정도라면 모를까. 대부분 현지에서 SNS에 사진들을 실시간으로 올리기 때문에 다녀와서 사진을 정리하는 일조차 싱겁다.

그런데 말이다. 사진 말고, 꼭 해야 할 것이 남아있다. 글이다. 생각의 글이다. 다녀온 후 생각이 가장 활발하다. 기억이 아직은 새롭다. 감정도 살아있다. 그래서 무엇을 적으려고 하면 그냥 쉽게 기록할 수 있을 것 같다. 그런데 사람들이 이것이 힘들다. 실천이 어렵다. 세상 모든 일이 실천이 어렵다. 왜일까. 잘 기록하고, 멋있게 쓰려고 하기 때문이다.

그냥 기계적으로 적자. 여행 후 남는 것은 사진이 아니고 글이요 생각이다. 여행을 떠나기 전에 느꼈던 생각들이 이후 어떻게 달라졌는지 기록하면 좋겠다. 저자는 풍경에 대해 별로 감탄하는 스타일이 아니다. 프랑스의 에펠탑도 생각보다 감탄할 정도는 아니었다. 그래서 밤에 에펠탑을 보는 것을 포기하고 숙소에 일찍 들어와 편하게 와인을 마시며 쉬었다. 더 좋았고 행복했다. 스위스의 풍경도 그렇고 그렇겠지, 생각했지만, 그래도 감탄할 정도의 수많은 풍경들이 눈에 담겼다. 감정이 사라지기 전 기록이 의미가 있다. 그 순간, 내 마음의 기록 말이다. 한 잔 커피의 처음 맛처럼.

폴란드 바르샤바에서 마주친 오래된 다리.

9
다음 여행은

여행은 또 다른 여행을 준비하게 만들며, 연결은 생각이다.
_ 김신일

여행의 백미는 다음 여행을 준비하는 것이다. 그것의 핵심은 생각이다. 여행을 떠나면서 현장에서 듣는 말 중에서 가장 흔하게 듣는 말이 있다.

'언제 또 오고 싶다' 는 말과,
'빨리 찍자. 다시 언제 오겠니?' 말이다.

가이드와 함께 떠나는 여행이라면, 가이드는 '보통 1년에 한번 이렇게 유럽여행 오시면 좋겠지요.' 라고 말하는 경우가 많다.

아마도 유럽여행을 온다는 것이 쉬우면서도 어려운 여정이기에 그렇다. 더구나 젊은 세대가 아닌, 70대 이상의 어르신들이 함께 일정에 있어, 여행에서 더욱 그런 생각이 든다. 그래서 저자는 여행을 떠나 현지에서 즐겁게 지내는 동안, 다음 여행에 대해 이야기를 나누면 좋겠다는 아이디어를 제안한다. 한 번의 여행이 또 다른 여행을 만든다. 그래야 진정한 여행이다.

가족여행이 참으로 힘들다. 아내와 단둘이 떠난다면 그래도 쉽지만, 우리 가족은 4명이다. 완전체가 되어 여행을 떠나는 것을 준비하고 있다. 여행 계획을 짜보는 것은 현재의 일인데, 그것이 미래와 연결된다. 발트해 3국 또는 폴란드를 생각한다.

산마르코 광장의 대성당.(베네치아) 마르코는 성경의 마가.

노트르담 성당, 스트라스부르.

10
유럽 종교여행

유럽여행은 다르게 보면 종교여행이다.
_ 김신일

스위스를 포함해서 이탈리아, 프랑스 여행에서 길을 걸으며 도시의 한가운데서 느끼는 한 가지는 중세 도시의 아름다운 건축물, 즉 성당이 많다는 것이다. 처음에는 '아 너무 아름다워' 말하지만, 비슷한 성당이 반복될 때는 무상의 세계에 빠지기도 한다. 머뭇거리다, 나중에는 그저 멍하게 바라본다.

베드로 성당에서 '피에타'를 볼 때, 피렌체에서 두오모 성당 첨탑의 둥그런 자태, 프랑스의 노트르담 성당을 볼 때는 다시 무상의 세계로 빨려 들어가는 느낌의 자신을 발견하게 된다.

왜 이토록 성당들이 많을까. 중세 도시의 건축물의 기본은 성당이다. 주인공이 신(神)이다. 우리나라 천주교 성당의 모습과는 규모 자체가 다르다. 그러면서 유럽에서 현재의 종교가 아닌, 과거의 화려했던 로마의 종교여행을 떠나보면 어떨지 생각해 본다.

기독교, 종교의 역사를 공부하자는 것은 아니다. 그래도 만화 교회사 정도는 읽어보면 좋겠다. 성경을 읽겠다는 욕심보다는 이스라엘 역사를 들여다보는 순간으로 자연스럽게 이어지면 어떨까.

교회 목사의 설교를 들어보는 것도 좋겠다. 유럽을 걸으면 성당을 만난다. 그저 색을 덜고 건축의 관점에서 시선을 던져보자.

자신이 태어나기 전보다 좀 더 나은 세상을 만들어 놓거나, 단 한 사람의 삶이라도 풍요롭게 하고 떠난다면 성공한 인생이다.
_ 에머슨, 미국

작가의 말

생각이 깊어짐을 느껴보았는지요. 생각이 깊어지면, 말과 글이 깊어진다. 말과 글이 깊어지면, 그것을 외부로 보여주고 싶어진다.

유럽여행에서 느낀 생각이나 감정을 나눴다. 사람들이 여행을 떠난다. 여행은 생각을 다르게, 커가게 한다. 그런데 주변을 돌아보면 여전히 변화가 없다. 왜 그럴까. 사람들이 여행에서 느낀 생각이 현실에 적용되지 않았다는 뜻이다.

사람들은 직사각형 아파트에 빠졌다. 여전히 재건축에 집중하며, 언제 수익을 남길지에 열중한다. 베네치아에 가보았는가. 거기에 아파트 등 신축건물들이 있는가. 가장 최근의 건축물이라도 몇백년이 지났다고 한다. 우리네 재건축 아파트는 20-30년 정도 지난 정도 아니겠는가. 생각의 차이뿐만 아니라 건축물을 처음 만들 때의 건축체계 자체가 다른 것 같다. 즉 건축물을 만들어내는 시선, 가치가 전혀 다르다. 그것이 인생의 길도 달라지게 한다.

우리나라 전쟁에 나라의 왕이 어찌했는가. 나라의 근간을 이루던 양반들은 무엇을 했는가. 전쟁 중에 어린아이들과 여자들의 고통은 어떻게 말할건가.

역사는 반복되고 있다. 더 이상 대한민국은 정직하거나 새로운 시대를 만들어갈 동력이 없다. 개혁이 필요한 순간이다. 혁명적인 어떤 것을 제안하는 것이 아니다. 사람들이 생각을 하기를 바라는 것이다. 어떤 사람들은 유럽은 이제 한국보다 가난하다고 한다. 인터넷도 느리고, 안터진다고 한다.

대한민국이 인터넷이 잘 터지고, 빨라서 전 세계를 한국이 이끌만한 리더인가. 여전히 근원은 유럽이다. 그들에게는 문화가 있다. 그 문화의 깊이는 깊다. 그리스와 로마의 문화를 그들은 만들었고 지금도 지키고 있다. 과거와 현재가 공존하고, 미래를 향하고 있다.

느리지만, 오랜 세월을 거쳐 사람들이 지키고 간직하고 있는 것, 그것이 문화다. 문화는 개방적이어야 한다. 조선왕릉에 가보면 정작 왕릉 근처에는 가지 못한다. 막혀있다. 뭐 대단한 릉이라고 그러는가.

콜로세움에서 사람들이 더운 날씨에도 불구하고 줄서서 기다리고 있다. 누구도 앞으로 나서지 않는다. 느리지만, 자신의 자리를 지킨다. 베드로 성당을 보기 위해 긴 줄을 섰을 때도 마찬가지였다.

프랑스의 테제베 기차를 타고 스트라스부르에서 프랑스의 파리로 향할 때도 그랬다. 기차가 조금 늦을 것 같은 분위기였다. 어떤 플랫폼으로 기차가 올지 다들 모르는 눈치였다. 여기 시스템은 이렇다고 했다. 바쁘고 두근거리는 이들은 관광객들이다. 결국 맞는 시간에 기차는 도착했고, 모두 자신의 자리에 앉았다. 기차 안에서도 여유롭게 커피 한잔의 시간을 누렸다. 저자는 에스프레소를 기차 한 견에서 마시고 있었다. 평화로운 마음, 잔잔한 에스프레소의 잔을 들여다보며 이런 것이 여행이구나 느꼈다.

유럽여행에서 생각이 달라졌다. 그 생각의 이야기들을 함께 나누고 싶었다. 여행이란 다음 여행을 준비하는 순간이기도 하다. 저자는 올해 필리핀 세부를 다녀왔고, 유럽 여행을 다녀왔다. 다시 여행을 준비하고 있다. 일본 후쿠오카 등이다. 그리고 연말에 마지막 여행을 준비하고 있다. 해외여행을 생각한다. 홍콩과 마카오다. 일본은 후쿠오카와 벳푸, 유후인을 거치는 여행이다. 일본의 현재와 과거를 관통하여 미래를 바라보는 잔잔한 여행이다. 일본을 걷는 여행이다. 걸으면서 생각하는 여행이다. 일본의 현재와 미래를 생각하고 과거를 돌아보는 여행이다.

그래서 무엇을 할 것인가. 지금을 준비한다. 준비는 다른 것이 아니라, 생각이다. 일본을 생각하라. 일본에 대해 생각하면, 우리나라의 미래를 알 수 있다. 우리나라의 미래를 알고 싶으면, 일본의 과거를 보면 된다. 일본에서 한국을 찾아보고, 한국에서 일본의 과거를 보게 된다. 일본과 한국은 연결된 나라다. 여행이 그렇다.

인천, 전주와 군산, 부산이 기다린다. 일제강점기 근대건축물을 찾아 떠나는 여행이다. 최근 대전에 어떤 빵집을 방문하는 여행객들이 많다고 한다. 여행의 주제를 잘 정하면 좋겠다. 빵을 먹으러 떠나는 여행이 나쁘다는 것이 아니다. 더 구체적이고 상세한 여행을 바라보자. 여행이란 빵이 전부는 아니다.

사실 유럽에서 먹었던 빵은 상당히 부드럽고 식감이 좋았다. 그들이 주식으로 먹는 빵은 우리네 것과 다르구나 생각했다. 그래서인지 호텔에서 유럽인들은 빵을 많이 먹었다. 우리들의 밥처럼.

먹는 것과 함께 생각의 여행을 추천한다. 생각이 깊어지면, 빵은 더 맛있어진다. 그리고 평상시에 여행을 위한 준비도 탄탄하게 하면 좋다. 평소에 책을 읽는 것이다. 유튜브를 본다.

여행 유튜브를 보는 것도 있지만, 자신이 가려는 나라에 대한 현장 지식을 살펴보라는 것이다. 문화, 역사, 인물 등 찾아보면 볼수록 지식의 양은 넘쳐난다. 여기서 중요한 것은 찾아보는 단계에서 그치는 것이 아니라, 팩트를 살펴보고 정리하는 기술이 필요하다. 선택과 집중이다. 일본, 홍콩, 마카오 등을 살펴보려고 한다. 다양한 매체를 통해서. 왜 저자가 조만간 여행을 갈 곳이기 때문이다. 그렇게 알아서 무엇을 하려는가. 여행을 떠나는 순간부터 이러한 지식들이 현장에서 지혜롭게 쓰이기 때문이다.

앞으로 저자는 유튜브에서 지식채널을 운영할 계획이다. 여행의 깊이를 더해줄 지식을 제공하는 채널을 꿈꾼다. 화면 구성 후 목소리로 읽어주면 된다. 한때 성우가 되고 싶은 꿈이 있었다. 유튜브를 통해 저자의 또 다른 꿈을 실현하는 기쁨을 즐기려 한다.

필요한 정보를 취사선택해서 자신의 것으로 만들어 보는 것이다. 그리고 여행을 다녀온 후에는 이 책에서 제시하는 것처럼 생각의 기록이 필요하기도 하다. 더 확장한다면 책을 출판하는 것이다. 종이책의 출판. 블로그에 쓰는 것도 좋고, SNS에 가볍게 여행 이야기를 올리는 것도 좋겠지만.

하지만, 책을 쓰는 것은 다른 차원의 생각 확장이다. 책을 쓴다는 것은 목차를 정하고, 각 목차에 따른 기획력을 보여야 한다. 그리고 하나의 꼭지에 자신의 콘텐츠를 이렇게 저렇게 쓸줄 알아야 한다. 아울러 사회적인 흐름에도 민감해야 한다. 사회에 무지한 채 글을 쓰고 책을 출판한다는 것은, 제철 과일이 뭔지도 모르고, 과일 장사를 하려는 것과 같다.

생각은 세월이 지나면서 변하기도 한다. 전에는 좋아했던 거라도, 시간이 지나면서 약해지기도 한다. 인생의 시간에서 인간은 변화를 추구하는 변신의 존재다. 그런데 가만있으면 변하는 것이 아니다. 노력해야 한다. 환경도 변해야 한다. 평소와 다른 환경에서 생각이 변하면 사람도 변하게 마련이다. 즉 달라진 장소에서 생각이 사람을 변하게 한다.

저자는 유럽에서 생각의 전환점을 맞이했다. 인간은 움직이는 존재이며, 생각하는 존재이기 때문이다. 먼저가 생각이요, 거의 동시에 움직임이다. 움직이면서 생각하는 존재다. 움직인다는 것은 뇌를 사용한다는 것인데, 걷는다는 여행의 개념이다. 걸으면서 달라진 환경에서 인간은 기존과 전혀 다른 생각을 하는 변화의 존재, 변신의 존재로 변한다.

이탈리아, 스위스, 프랑스의 나라를 여행했다. 지금 프랑스는 얼마 후에 올림픽을 개최한다. 여행 중에 프랑스 센강을 중심으로 사람들이 올림픽을 준비하느라 정신이 없어보였다. 가이드는 올림픽 기간에 패키지 여행이 상당히 제약을 많이 받을 것이라 말했다. 제때 잘 여행하고 있구나 그때 생각했다.

지금 유로2024 축구가 한창이다. 그런데 이탈리아, 프랑스, 스위스의 사커팀들이 모두 나왔다. 보는 재미도 있지만, 그 나라들을 안다는 것이 축구의 맛을 높여준다.

문화는 특별한 것이 아니다. 그 나라의 일상의 모든 것이다. 그들이 먹고, 입고, 즐기고, 중요하게 생각하는 가치 등이다. 우리는 여행하면서 그 나라에서 먹고 입고 즐기며 하루를 보낸다. 그러면서 그들의 삶의 일상을 들여다 보는 것이다. 우리와 다른 일상, 문화의 색깔을 보면서 자신의 삶을 되돌아보며, 새로운 일상, 문화를 만들어 내는 것이다. 여행 후 새롭게 변신하는 사람들이 그렇다.

아들이 리투니아에서 톡으로 연락이 왔다. 뭐 기념품을 사갈까 하면서 묻는다. 바로 답을 해주지 않았다. 넉넉하지 않은 여행경비에서 아빠의 기념품까지 생각하고 있다는 아들의 생각만으로 흐뭇했다.

'아?' 순간 이런 말만 하고 말았다. 상당히 시간이 지난 후에 다시 글을 적었다. 아내의 재촉이 있었다. 기념품을 안사도 된다고 말했다. 그러면서 여행 중에 사진을 찍으면 보내달라고 했다. 톡으로 그것이 최고의 기념품이라고 생각한다고 말했다. '아?'에 대한 설명을 그렇게 마무리했다.

우리네 인생은 어디가 시작이고 어디가 끝인지 모른다. 10대가 시작이고 50대가 끝을 향해 달려가는 거라 단정할 수 없다. 어디가 시작이고, 어디가 끝인가. 시작은 있다. 자신이 여행을 애타게 하고 싶은 마음이 드는 그 순간이 시작이다. 그때 생각의 날개를 몸에 단 것이다. 그럼 인생의 절정은 언제인가. 이 말은 언제가 청춘인가 라는 말과 비슷하게 들린다. 반면 언제가 끝인가에 대한 답은 자신의 생각이 멈춤에 다다를 때라고 생각한다. 주변에 보면 전혀 생각하지 않는 삶을 살고 있는 사람들이 많다.

그들을 보면 어쩔 수 없다. 그들의 선택인 걸. 무엇을 생각한다는 것은 그만큼만 이해한다는 뜻이다. 그러니 그들의 사고에 생각의 폭을 넓혀준다는 것은 여간 어려운 일이 아니다.

왜 사회복지사의 길을 택했는가. 장모님이 어떤 교수님을 소개해주었다. 그 때는 저자가 해외 유학을 중도 포기하고 귀국한지 얼마 되지 않은 시절이다. 무엇을 할것인가. 어떻게 살아야 할 것인지. 저자는 고민하고 생각했다. 그 때만큼 생각의 생각을 생각한 적이 있을까. 그러면서 그 교수님이 일하는 학교에 입학했다. 일반대학원 과정을 밟았다. 사회복지학이었다. 2년 석사과정이었다. 과정을 마치니 자연스럽게 사회복지사 자격증을 받았다. 물론 실습의 과정을 거쳤다.

서울의 한 지역아동센터에서 실습의 시간을 보냈다. 중고등학교 학생들을 만났다. 특히 고등학생들과 영어를 공부했다. 초등학교 고학년들과는 공부도 하고 공도 함께 찼다. 학교운동장에서 마음껏 웃으며 공을 차고 아이스크림을 먹었던 기억이 새록새록하다.

지금 지역아동센터에서는 공을 차고 아이스크림을 먹기보다, 소프로그램을 마치고 아이스크림을 선물로 먹는다. 아이들이 움직이는 것을 싫어한다. 대신 스마트폰에 빠져 있다. 과거와 현재의 아이들이 달라지고 있다.

아무튼 저자는 지역아동센터에서 실습을 마쳤다. 대학원 졸업 후 박사과정을 밟고자 하는 생각을 했다. 그런데 아버지가 돌아가셨다. 더 공부할 상황이 아니었다. 그러면서 푸른꿈지역아동센터에서 연락이 왔다. 와서 일을 해보면 어떨지 제안했다. 이력서와 관련 서류를 제출하고 면접을 봤다. 얼마 안 있어 일할 수 있는 기회를 얻었다. 박사과정을 걸어 공부하겠다는 의지는 잠시 내려놓고, 사회복지실천의 현장으로 들어갔다. 지역아동센터에서 실습을 한 후라 어느 정도는 알고 출발했다고 생각한다. 그렇게 지역아동센터와의 인연은 시작되었다.

그래도 공부에 대한 열정은 사라지지 않았다. 박사과정을 밟는 대신 평생대학원을 다니기로 했다. 그것은 평생 책을 읽고 글을 쓰는 나만의 연구소를 만들어 보는 것이었다. 그래서 변화글연구소다. 박사의 길보다 글을 써서 책을 출판하는 일에 평생을 걸었다. 후회는 없다. 정약용은 유배지의 생활을 기초로 하여 유용한 500여 권의 책을 출판했다. 저자에게 정약용은 롤 모델이다. 저자도 죽기 전 정약용처럼 종이의 흔적을 남겨놓고 가려고 한다. 건방진 생각이지만, 그 생각 자체가 멋지다.

유럽여행을 떠나면서 생각했던 것이 지역아동센터를 떠나면 무슨 일을 할 것인지 생각했다. 무엇을 할 수 있을까. 지역아동센터에서 10년 이상의 세월이 흘렀다. 지속하더라도 새로운 전환이 필요하다는 생각을 했다. 그래서 여행은 저자에게 활력소가 되었다.

보통 여행을 가려고 하면 시간이 없다고 한다. 그런데 시간은 있고 없고의 문제가 아니라 만들어 내는 것이다. 진정한 친구라면 시간을 만들어 서로 만나는 것처럼. 저자와 여행이 친구라는 사실을 알게되었다. 그래서 시간을 만들어 여행을 떠나는 것이다.

단순한 여행이지만, 단순하지 않다. 왜냐하면 여행은 곧 자신의 거울이기 때문이다. 어떻게 여행을 계획할지에 자신이 들어가 있다. 평소 자신의 스타일이 그대로 반영된다. 한가지 당부한다. 여행의 과정에서 글을 쓰는 것이다. 생각이란 것을 하는데 글을 쓰지 않는다면 기록이 없어진다. 나중에 생각하지만, 기억이 가물가물하다. 사진도 한몫한다. 이 책에 섞어진 모든 사진은 저자와 가족의 사진이다. 모든 여행 길에서 찍었다.

인간은 생각하는 동물이다. 제대로 생각하는 유일한 동물이다. 저자가 집필한 <방울이는 개야>, <돼지의 꿈>, <너만의 명품을 만들라> 모두 생각을 기초로 하여, 글쓰기에 도전한 작품들이다. 인간은 생각하게 되어 있다. 생각하지 않으면 안되는 동물이다. 동물의 왕국에서 호랑이나 사자가 약한 동물들을 무참하게 먹어치우는 장면을 목격한다. 무섭고 섬뜩하다. 그들도 동물이다. 그러나 그들은 동물일뿐이지, 생각하는 동물은 아니다. 다시 말하면 예의를 아는 동물은 아니다.

인간은 사회적 동물이다. 그러나 인간은 사회복지적 동물이다. 그냥 어울리는 동물집단이 아니다. 서로의 관심사를 공유하고 배려하고 때로는 적극적으로 도울 수 있는 인간은 '사회복지적 동물'이다. 그래서 저자는 작가면서 사회복지사를 지향한다. 사회복지사라면 글을 쓰게 되어있다.

그런데 요즘 상황은 이상하다. 이기주의 동물의 시대가 열렸다. 자신의 이익을 위해서는 어떤 수단과 방법도 개의치 않는 세상이 되었다. 인간이라면 무엇을 할 것인가.

이럴 때 생각하고 글을 쓰는 내공의 시간이 있어야 한다. 인간에게 여행의 시간에서, 멍때리는 시간이 있어야 한다. <유럽 생각여행>은 유럽이라는 공간에서 어떤 생각을 진지하게 쓴 에세이다. 우리네 삶의 모습과 너무 다른 유럽의 풍경과 삶의 현장에서 저자는 미래를 꿈꿨다. 주변의 다른 사람들은 보지 못했지만, 저자는 미래의 모습을 상상했다. 설사 내가 보지 못하고 죽더라도 내 자녀와 후손들은 출판된 책들의 활자를 경험할 것이다.

칭찬은 사람들을 춤추게 하지만, 생각은 사람들을 생각하게 한다. 춤만 춰서는 살아갈 수 없는 세상이다. 생각이란 것이 참으로 기묘하다. 생각하면 할수록 새롭고 새로워진다. 사람이 새로워진다. 생각이 새롭게 만들어진다. 삶이 달라진다. 그러면서 삶에 시동이 걸린다. 뒤늦게 생각이 발동걸려 삶의 색이 달라지는 꼴이다.

경우에 합당한 말은 아로새긴 은 쟁반에 금 사과니라. 잠언의 말이다. 멋진 말이지 않나. 언젠가 기도할 때 이 말씀을 인용해서 기도를 한 적이 있다. 나중에 이 말씀 때문인지 기도에 감동했다고 이야기했던 성도가 있었다. 말이란 이런 것이다. 말은 곧 글이다. 자신의 내면을 그대로 토해낸 것이다. 저자의 내부에서 합당한 말을 하고자 하는 욕구가 있었고, 그것이 말과 글로 쓰여진 것이다.

글은 곧 말이다. 말과 글이 섞여 하나가 될 때 비로소 인간은 영향력을 가지게 된다. 경우에 합당한 글은 아로새긴 어떤 쟁반에 무엇일까. 말과 글의 섞임에 생각이 존재한다. 그래서 이책이 생각여행이다. 생각이 먼저요, 유럽은 장소의 문제다.

세상에 말과 글이 넘쳐나고 있다. 그런데 참말과 참글이 부족하다. 항상 갈급한 마음으로 주변을 돌아보게 된다. 어떤 말을 찾고, 어떤 글을 찾아 헤맨다. 욕이 난무하는 사회에서 말과 글의 교육은 시급하다. '시발'이 일상적인 언어처럼 사용된다.

<유럽 생각여행>을 읽어보면서 독자들이 자신의 말과 글을 갈고 닦기를 바란다. 자신의 말이 무언지, 자신의 글이 어떤지 살펴보길 바란다. ㅅㅂ 이란 욕을 아무런 거리낌 없이 사용하는 청소년들이 많다. 그들의 말이다. 자신의 말을 녹음해서 자신에게 들려준다면 어떤 기분일까. 그런 글로 가득한 책 한 권을 주고 읽으라면 어떤 기분이 들까. 그래도 거친 욕을 하고 싶을까.

말과 글은 인간을 지배한다. 인간과 말과 글은 떨어질 수 없다. 말과 글을 연결해 주는 것은 무얼까. 바로 생각이라 했다. 그래서 여행에서 생각이 커지면, 말과 글에 변화를 준다. 수학을 공부해도 철학을 공부하고 싶고, 철학을 공부하면서 물리를, 컴퓨터공학을

연결시켜 알고 싶어한다. 말과 글이 융합을 만들어 낸다.

이제 대한민국은 생각할 시점이다. 생각에 대해 너무 하찮게 생각하고 있다. 생각에 대해 진지하게 생각하는 시간을 가져볼 만하다. 이제 생각하자. 프랑스는 생각에 가치를 두고 독서를 중시한다.

언젠가 당신은 죽는다. 당신의 삶에 어떤 말과 글이 터져 나올까. 사람들은 당신에 대해 뭐라 할 것인가. 그리고 글로 당신을 뭐라고 표현할 것인가.

'당신의 삶은 영원히 기록되었습니다. 내 마음에.'

저자의 미래 묘지명이다. <유럽 생각여행>이 생각의 시작이다. 에스토니아에 있는 아들에게서 카톡 소식이 왔다. 말이 없고, 사진들이 올려지고 있다. 얼마 전 '기념품 대신 현장의 사진이 곧 기념품이다' 라고 아들에게 명언을 날렸다. 이후 아들은 사진들을 보내주고 있다. 현장의 사진을 공유함으로 아들과 아비는 시공간을 초월하여 함께 하고 있다. 동일한 건축물에 같은 시선을 던지고 있다. 아름다운 최고의 기념품 아닌가.

자신만의 생각에서 벗어나 더불어 사람들을 생각해 보자. 멀리서 찾지 말자. 가족에 시선을 던져보자. 가족이 최고다. 아내가 항상 하는 말이다. 가족이 최고이기에 가족에서 친밀하고, 사회로 나가 사회복지적으로 사람들과 친밀하려고 노력하면 된다. 그게 생각의 지름길이다.

종이책 읽기를 권한다. <유럽 생각여행>를 읽어주길. 당신 생각의 나이테를 확인하고 싶지는 않다. 당신이 생각해 주길 바랄뿐.

당신이 생각이란 것을 붙잡길 바란다. 돈 내고 어디 가서 강의를 듣거나, 템플스테이에 가서 명상하면서 생각해도 좋지만. 그냥 <유럽 생각여행>으로 생각여행을 시작하라. 생각의 창이 활짝 열릴 것이다. 유럽에 대한 생각여행 후에는 유럽 인문여행을 집필하려고 한다. 발트해 3국, 폴란드 등 유럽 전반에 대한 인문학적인 이야기를 쓰고 싶다.

동네에서 함께 말과 글에 대해 재밌게 이야기를 나누고 싶은 독자들의 연락을 기다린다. 백다방에서 저자를 찾아라. 백다방은 내 연구실이다. 이탈리아 여행을 다녀온 후 백다방 에스프레소에 맛 들렸다.

주변 사람들에 헌신의 삶을 살았던 아버지가 있었다. 그런 아버지의 삶이 저자에게 옮겨오고 있다. 유전자의 힘이다. 마지막 순간까지 자신이 하고 싶은 것을 하려고 몸부림치는 현장의 삶 말이다. 아버지의 끝을 알기에, 저자의 마지막도 대략 알 것 같다. 아버지의 삶과 아들의 삶이 교차하고 있다. 다만 저자의 경우 아들의 삶과 교집합을 찾으려고 노력하려 한다.

아들의 삶을 보면서 아버지의 삶이 다시 조명되는 역사도 있다. 지금 저자의 아들은 발트해 3국과 폴란드를 여행하고 있다. 트로이카성(리투아니아 빌뉴스 근교)의 사진 한 장이 아침을 깨운다. 여행은 때때로 생각의 시작을 알려주지만, 한편으로 마음의 감정을 건드려 놓는다. 아들이 아름다운 장소에서 마음으로 휴식을 취하고 있구나 생각했다. 생각을 저절로 하게 되겠다고 생각한다. 풍경이 장난이 아니기 때문이다.

정약용을 존경했다. 그의 500 여권의 저술에 감탄했다. 그의 책과 관련 영상, 자료들에 집중했다. 생각했지만, 여기까지다. 그의 흔적을 찾아 떠나기도 했다. 그러나 여기까지다. 한계였다.

다시 생각했다. 그와 같아지는 것을 꿈꾸는 것이다. 그의 제자가 되는 것. 이제 목표가 생겼다. '미쳤구나' 할거다. 정약용과 같아지다니. 그런 생각을 생각하다니. 물론 저자는 정약용이 아니다. 그렇게 될 수도 없을거다. 다만 목표를 잡았다.

그는 생각의 힘을 안 사람이다. 목민심서, 경세유표 등 세상을 향한 이야기의 힘을 알고 있었던 사람이다. 그래서 그가 무섭다. 정약용은 천주교에도 관심을 가졌고, 자신의 학문을 공부하는 것으로 끝내는 것이 아니라, 실학이라는 학문으로 정립했다. 공부하여 남 주는 일이 실제로 벌어진 것이다. 학문이 실제 현장에서 유용하게 쓰일 수 있다는 생각을 생각했던 정약용이다.

정약용은 융합형 인간이 맞다. 시를 쓰기도 했고, 제자를 가르치면서 저술에 힘썼다. 아울러 수원화성을 건축하는데 거중기를 만들어 활용했으며, 수원화성을 통해 새로운 신도시의 개념을 만들어 냈다. 한마디로 호기심이 대단했다. 서로 다른 여러 가지를 공부하고 그것들을 현장에 적용했다. 다른 것들은 흩어진 것들이 아니라, 하나로 모일 수 있는 여럿이면서 하나이다.

또한 정약용을 닮고 싶은 것은 그가 평온한 삶을 살지 않았기 때문이다. 우리 사회에도 힘겹게 사는 사람들이 많다. 정약용은 그들에게 관심이 많았다. 유배지에서도 평소 공부에 대한 열정은 있으나, 환경이 허락지 않았던 청년들에게 배움의 기회를 제공했다. 몸소 자신이 스승이 되어, 그들에게 실학의 정신을 알려준 것이다.

생각이 새로우니, 당시 조선시대의 성리학이라는 기존 틀에서 형식을 벗어나, 새롭게 학문에 접근할 수 있었다. 여기서 놀라운 것은 정약용은 제자들의 장점을 살려 그들에 맞는 교육을 시도하려고 노력했다. 시적 감수성이 예민한 제자도 있고, 시험공부에 적합한 제자도 있었을 것이다. 놀라운 조선시대의 맞춤식 교육이다. 저자는 사회복지사다. 지역아동센터에서 아이들과 함께 하루를 보내고 있다. 그래서 이런 재능을 살려주는 맞춤교육이 얼마나 중요한지 뼈저리게 느끼고 있다.

정약용은 대략 500 여권이 되는 책들을 집필했다. 제자들과 공동작업을 하기도 했다. 그런데 중요한 것은 정약용이 왜 글쓰기에 주목했는가의 문제다. 자신의 스토리를 세상에 알리고 싶었다. 즉 영향력을 발휘하길 원했다. 그런데 지금의 저자도 글을 쓰는 이유가 세상에 나의 스토리를 알려주고 싶었기 때문이다. 덤으로 글쓰기의 이유도 있다. 글을 쓰는 일이 즐겁고 재밌다.

<유럽 생각여행>을 떠나보자. 생각이란 참으로 신기하다. 하면 할수록 생각이 커진다. 그러면서 사람도 괜찮아진다. 인천광역시 서구 소재 지역아동센터들이 10월에 문화축제를 열려고 준비하고 있다. 백범 김구는 오직 한없이 가지고 싶은 것 한 가지를 문화라고 말했다. 그 문화를 매개체로 축제를 연다.

문화를 주제로 재능을 보여주는 문화공연과 문화부스를 생각하고 있다. 즉 문화공연과 문화부스 2가지다. 문화공연은 아이들이 무대에서 자신의 재능을 보여주는 퍼포먼스다. 그리고 문화부스는 아이들이 좋아할만한 먹거리와 놀거리를 준비하고 있다. 색다른 문화 경험이다.

마술쇼도 무대공연에 넣어보려고 한다. 그런데 이 모든 것들에 가장 중요한 것은 생각이다. 어떻게 생각하느냐에 따라 전체 문화의 방향성이 정해진다. 평소 저자가 생각했던 문화에 대한 생각이 문화축제를 통해 나타날 수 있다. 하지만 다른 이들의 문화에 대한 또 다른 생각도 존중한다.

다시 말해 나의 문화 생각과 다른 이들의 문화 생각이 충돌한다. 어떻게 아동 청소년들에게 문화에 대한 스토리를 보여줄 것인가. 문화란 무엇이며, 이를 어떻게 시각적으로 정신적으로 보여줄 것인가.

문화(Culture)의 어원을 따지면 '경작하다'의 뜻이다. 무엇을 정하고 그것을 얻기위해 상당한 시간 즉 우리들의 노력이 거기에 들어간다. 그래서 결과물이 만들어지는 것이다. 저자는 문화를 아이들이 무엇을 보여주는 과정과 결과의 모든 것이라고 생각한다. 아이들은 춤이나 합창, 악기 연주 등 자신들의 재능을 보여준다. 그것이 이 시대 아이들의 문화다.

문화 시대의 모든 것들이다. 그래서 놀이, 먹거리 등도 포함된다. 아이들은 어떤 놀이를 좋아하는가. 아이들은 어떤 먹거리에 관심이 많은가. 모든 일상의 것들이 문화라는 카테고리에 빨려 들어간다.

문화는 아이들의 모든 것들, 자신들이다. 즉 문화란 자신을 표현하는 것이다. 표현의 방법은 가지가지다. 그 다양한 표현을 아이들이 각각 보여주고 있다. 이번 문화축제에서 문화의 다양성을 보여주고자 한다. 문화의 다양성, 다문화의 시대다.

한편 한 행사를 진행하기 위해 중요한 항목이 있다. 그것은 인력

자원이다. 인력을 적절하게 배치하고 일하게 하는 것이다. 소수가 열심히 일하는 것이 좋은 것이 아니다. 공동체가 정한 목표에 공동의 사람들이 어울려 일하는 모습이 가장 아름답다. 생각의 도구가 현장에서 어떻게 적용의 강력한 무기로 사용되는지 설명하기 위해서 문화축제의 현장 이야기를 꺼냈다.

정약용도 실학에서 학문의 현실성을 보여주고자 했다. 그의 공부는 결코 이론이 아닌, 현실의 적용이다. 정약용이 생각한 학문의 원리다. 공부한 것을 써먹는 것 또는 세상에 알리는 것이 중요하듯이, 아이들이 자신들의 문화 생각을 무대와 체험을 통해 알리고 경험하는 문화축제의 장이 되는 것이다. 즉 아이들이 자신의 생각을 마음껏 펼쳐보이게 하면 된다.

우리가 생각하는 것은 현재의 일에 연관이 되어야 한다. 우리가 여행을 떠나지만, 언제나 멍때리고 살 수는 없다. 현재는 과거와 미래를 연결하는 연결점이다. 또한 현재에서 어떤 일을 하거나, 확장된 거대한 일을 수행할 때 생각이란 어떤 무기가 되어 강력한 동력을 발휘한다.

생각이 이토록 중요하기에 생각과 관련된 의미 있는 명언들이 많다. 살펴보고자 한다.

전에 이야기할 것이 하나 있다. 우리는 살아가면서 생각할 때 주변의 사람들의 시선에 너무나 신경을 쓴다. 그만 멈추면 좋겠다. 자신의 생각을 가장 중요하게 생각하자. 당신이 주인공이다. 당신의 생각이 주인공이다. 그러니 당신의 생각을 당당하게 이야기하면 좋다. 당신 인생의 자동차에서는 당신의 생각만이 차를 움직이는 연료다.

그럼 생각의 보물창고로 떠나보자. 현실에서 책읽기로 여행을 떠났다. 그리고 다시 현실의 자리에 돌아왔다. 이제 조용히 명상하며 생각을 정리할 시간이다. 소로우의 월든처럼 어디에 처박혀서 생각을 정리해도 좋다. 그래서 저자는 올해 2주 정도 생각의 휴식을 가지려고 계획하고 있다. 멋지지 않는가. 생각을 표현하는 생각이 담긴 한 문장들에 어떤 것들이 있을까.

생각하지 않는 삶은 살만한 가치가 없는 삶이다.
_ 소크라테스

생각의 삶이 즐겁고 신난다. 독서와 여행이 그렇다.
_ 김신일

모든 학문 중에서 가장 고상한 학문은 인간이 무엇이고 삶을 어떻게 살아야 하는지를 연구하는 학문이다.
_ 플라톤

인간이 무엇이고 삶을 어떻게 살아야 하는지를 연구하는 행위가 곧 생각이다.

너만의 명품을 만들라
_ 김신일

삶에서 자신의 명품을 만들기 위해 먼저 생각하지 않을 수 없다. 삶에서 사자로 살던 개구리로 살던 족제비로 살아가던 생각의 울타리에서 벗어날 수는 없다. 여전히 생각이 우리의 삶을 지배한다.
생각이란 자신을 향해 날카로운 질문을 던지는 투수다.
_ 김신일

사람들은 잘못된 기준으로 모든 것을 평가한다. 즉 권력과 성공과 부를 추구하는 과정에서 이미 세가지를 가진 사람들을 존경하지만 진정한 가치는 과소평가된다는 느낌을 저버릴 수 없다.
_ 지그문트 프로이드

성공한 사람이 아니라 가치 있는 사람이 되려고 힘써라.
_ 아인슈타인

무엇인 성공인가. 무엇이 가치가 있는지 생각해야 한다. 현재 성공의 기준은 의대나 법대를 가는 것인가. 세상에 하나의 틀을 만들어 놓은 사람들은 그 사회의 기득권을 쥐고 있는 사람들이다. 그들은 지금 그들의 성공 패턴이 계속되길 원한다. 그래서 새로운 개혁을 원하는 정약용같은 융합형 인간을 좋아하지 않는다.

기존의 성공법칙이 아닌, 새로운 가치를 말하고 그것을 향해 달려가려는 사람들에게 세상은 처음에 냉소적일 수 있다. 저자도 글쓰기를 평생의 일로 생각했다. 그래서 여기에 집중하고 글을 쓰고 있다. 정약용처럼 후대에 내 생각이 더 알려진다면 그것도 의미 있는 일이라 생각한다.

지금의 세상에서 천지가 개벽하는 개혁이 일어나길 바라는 것은 아니다. 한 왕조가 망하고 새로운 왕조가 생겨나길 바라는 것도 아니다. 거대한 세력의 교체가 아니다. 문제는 한 사람에게 있다.

바로 당신과 저자같은 사람들이다. 보통의 사람들. 보통의 사람들이 변신하면 된다. 보통 사람들의 변신, 즉 개혁이다. 점진적인 개혁이다. 그러나 반드시 도착하는 개혁이다.

이제 우리도 유럽 생각의 여행을 떠날 시간이다. 이제 책을 열어 읽어보자. 생각에 빠져보자.

생각이란 참으로 묘하고 신기할 정도다. 없던 용기도 생기고, 다시 무엇을 하고 싶다는 열정도 깨운다. 그것이 생각이다. AI시대에 MZ가 격돌하고 있다. 더 이기적이고 개인적이며, 자신의 세상에서 사는 Z세대들(2000년대)은 M세대들(1990년대)과 다른 색깔을 보여주고 있다. Z세대는 더 짧은 영상에 길들여져 있다. 더 놀라운 것은 Z세대와 지금의 초등학생들과 중고 청소년들이 다른 생각을 보여주고 있다는 사실이다. 더욱 짧은 영상과 거친 말에 중독되어 있다. 인터넷에 무기력하지만, 자신들은 아니라 한다. 문장과 글에 취약하고 이해력이 현저히 떨어진다.

'참으로 걱정이다.' 뭐 이런 이야기를 하려는 것이 아니다. 이들 세대와 소통할 수 있는 세대가 등장해야 한다는 것이다. 이들을 이해하고 접근하여 함께 앞으로 나아가고자 하는 세대가 필요하다. 이들에 대한 애정의 욕구를 가지고 있어야 함은 당연하다.

그들은 이들의 부모세대다. 지금의 MZ세대와 그 아래세대와 소통할 수 있는 세대는 부모세대다. 지금 늘봄학교로 아동의 돌봄을 학교에서 전폭적으로 실시하려고 한다. 어디까지나 초등학생들이다. 이것으로 저출생의 문제가 해결될 것이라고 어떤 이들은 단정한다. 단순 무식하다. 단순히 초등학생 돌봄의 문제로 한정해서는 안된다. 이들이 청소년이 되고, 대학생이 된다. 그리고 취업과 결혼을 준비하는 미래세대가 된다. 젊은 세대를 묶어서 바라봐야 한다.

저자는 인천광역시 서구 아동돌봄시설 푸른꿈지역아동센터에서 사회복지사로 일한다. 이번 여름 아이들과 역사문화 캠프를 떠난다. 그들과 지금 센터에서 캠프 관련 준비를 하고 있다. 인천 근대건축전시관을 찾는다. 또한 대불호텔의 전시관을 찾아 생활상을 보고자 한다.

지금 아이들에게 '개항'이나 '조계' 등 기본적인 단어들을 이야기한다. 아이들이 영상에 너무나 익숙해졌다. 말과 글과 영상에서 무엇을 먼저 그들에게 보여줄까. 바로 영상이다. 유튜브에서 관련 영상을 찾아 그들과 함께 본다. 그리고 이야기를 나눈다. 그런데 바로 본 영상의 이야기를 하는데도 기억력이 떨어진다. 집중하지 않았기 때문이다. 기초 지식이 없기도 하지만. 영상과 말과 글의 교육이 시작된 것이다.

수영이나 노는 것 얘기에만 열광한다. 그래서 돌봄과 교육이 함께 가야 한다. 사회적 취약계층이 지역아동센터에 많이 다닌다. 더구나 다문화가정의 아이들이 많다. 초등학교 저학생들이 적절한 시기에 알맞은 교육을 받지 못했다. 코로나의 영향이 컸다. 외국인 모의 영향도 크다.

과거와 현재의 넋두리가 아니다. 미래를 바라보며 생각하고 싶었다. 당시 조선의 개항에서 중요한 것은 생각이었다. 조선이 주인공이었지만, 시간이 지날수록 조선은 제외되었다. 그러면서 서양과 일본, 청나라의 세력들이 조선의 땅을 나눠 가지려고 했다. 한마디로 조선은 찬밥이었다. 당시 조선에는 생각이 무력했고 없었다.

지금 AI시대다. 제2의 개항이라 생각한다. 개항의 시기에 우리 아이들은 무엇을 하면 좋을까. 주체적인 생각이다. 우리가 우리의 미래를 어떻게 할지에 대한 생각이다. 그러면서 아이들이 여행을 떠나기를 원했다. 당장 유럽으로 떠날 수는 없었다.

대신 역사문화캠프로 인천근대 개항의 역사 근거지를 찾아가려고 한다. 그래서 요즘 개항이나 조계 등 이야기를 아이들과 하고 있다. 아이들에게 생각할 수 있는 공간을 열어주고 싶었다. 그러면서 아이들이 성장하고 기회가 된다면, 동남아나 유럽으로 여행을 갈 수 있는 기회가 열릴 것으로 생각했다. 먼 거리의 유럽은 자라나는 아이들에게 생각을 키워주는 절호의 장소다. 장소가 현재와 너무나 달라지면 인간의 생각이 충격을 받을 수 밖에 없다.

저자가 유럽 생각여행에서 생각을 이토록 강조하는 이유는 무엇일까. 지금 세상이 영상의 시대로 달려가고 있기 때문이다. 수많은 영상을 사람들이 매일 의식 없이 수없이 보고 있다. 영상에 익숙해진, 온 세대가 되었다. 더 늦기 전에 생각하며 살아야 한다는 사실을 알려주고 싶었다. 그 생각의 시작은 종이책 읽기다. 다른 방법이 없다.

어떤 생각인가. 보통의 선수도 힘든 상황에서의 필요한 순간 자신의 역할이 있다. 손흥민같은 선수의 이야기, 최고의 생각이 아니다. 우리 동네 평범하고 보통 선수들의 생각 이야기다.

이 책을 읽은 보통의 아이들, 청소년들이 자신의 생각을 이어서 이야기 해주길 바란다. 그 생각이 그들의 부모세대에게도 전해지길 간절히 바랄뿐이다.

한 세대와 다른 세대의 연결, 이것이 이 책의 몫이다.

그렇다면 이 책은 소명을 다한 것이다. 독자들 앞날에 축복이 있기를. 유럽 인문여행으로 다시 만날 날을 기대한다. 배고프면 먹는다. 그러면서 맛있는 음식을 찾고, 유명한 곳을 검색한다. 책도 마찬가지다. 지하철에서 폰 대신 종이책을 읽는 자들이 보이길 원한다. 일상에서 배고플 때 수저와 젓가락을 손에 쥐듯이, 그 손으로 책을 잡고 종이의 질감을 느끼며 한 장 한 장 넘겨주길 바란다.

그것이 헛되고 헛된 꿈인가. 개들이 주인공인 세상이 되었다. 개들과 식당에서 나란히 음식을 나누는 개이득의 세상이 되었다. 하지만 개와 사람은 다르다. 개는 개요, 인간은 인간이다.

어떻게 개의 엄마가 인간인가. 개와 구별된 인간의 특성을 보여달라. 읽어라. 종이책을 읽어라. 당신의 손에 종이책을 잡아라. 배고플 때도, 지하철에서도, 걸어가면서. 인간이 읽는 존재라는 사실을 잊지 말자.

김신일, 가정동 연구소에서, goldbug3@naver.com

누구나 할 수 있는 일 말고 나만이 할 수 있는 일을 하라.
_ 다산 정약용